新 潮 文 庫

ユダヤ警官同盟

上　巻

マイケル・シェイボン
黒 原 敏 行 訳

新 潮 社 版

わが運命の伴侶《バシェルト》
アイアレットに捧《ささ》ぐ

そしてみんな、笊《ざる》で海に乗りだした。

——エドワード・リア

ユダヤ警官同盟

上巻

主要登場人物

マイヤー・ランツマン…………シトカ特別区警察殺人課刑事
ベルコ・シェメッツ……………　〃
ビーナ・ゲルプフィッシュ……ランツマンの元妻
イジドール・ランツマン………　〃　父
ナオミ……………………………　〃　妹
ヘルツ・シェメッツ……………ベルコの父で、ランツマンの伯父
エステル＝マルケ………………　〃　妻

エマヌエル・ラスカー…………〈ザメンホフ・ホテル〉で殺されていた若者
テネンボイム……………………　〃　の夜勤支配人
フェルゼンフェルト……………シトカ特別区警察殺人課課長
メレフ・ガイスティック………〈チェス・クラブ〉の伝説的メンバー
デニス・ブレナン………………新聞記者
イツィク・ジンバリスト………〝境界線の知者〟
アレクセイ・レベド……………ロシアン・マフィアの首領
アナトリー・モスコウィッツ…　〃
ヘスケル・シュピルマン………ヴェルボフ派十代目指導者（レベ）
アリエー・バロンシュテイン…ヘスケルの秘書

1

ランツマンは九ヵ月前から〈ザメンホフ・ホテル〉に住んでいるが、これまで宿泊客が殺されたことなど一度もなかった。ところが今、誰かが二〇八号室の住人の脳みそに銃弾を一発撃ちこむという事件が起きた。被害者はエマヌエル・ラスカーと名乗るユダヤ人だった。

「電話には出ない、ドアも開けない」と、ランツマンを起こしにきた夜勤支配人のテネンボイムが言った。ランツマンの部屋は五〇五号室で、窓からはマックス・ノルダウ通りをはさんだ向かいのホテルのネオンサインが見えた。ホテルの名は〈ブラックプール〉。〝黒い淵《ブラックプール》〟はランツマンの悪夢によく出てくるイメージだ。「しょうがないから中に入ってみたんです」

テネンボイムはもとアメリカ合衆国海兵隊員で、六〇年代にキューバ戦争の修羅場から帰ってきたあと、ヘロイン乱用癖をなんとか振り棄《す》てた男だった。ホテルの住人に麻薬中毒者がいれば慈母のごとくふるまい、宿泊料支払いの遅れには寛大で、放っておいてもらいたがっている住人は放っておいてやる。

「部屋の中のものには手を触れてないだろうな」とランツマンは訊《き》いた。

テネンボイムは答えた。「現金と宝石以外はね」

ランツマンはズボンと靴をはくと、サスペンダーを肩に引っかけた。それからテネンボイムと一緒にドアのほうを見やった。ドアノブにはネクタイがかけてある。赤地に茶色の太いストライプが入った柄で、手間を省くためにいつも結んだままだ。ランツマンの次の勤務まであと八時間ある。おが屑を敷いたガラスケースで給水ボトルをちゅうちゅう吸う、はつかねずみ流の八時間。ため息を一つついて、ネクタイを手にとった。頭からすっぽりかぶり、結び目を喉元《のどもと》まで押しあげる。上着を着て、内ポケットに手を入れてバッジケースがあるのを確かめ、銃をおさめた腋《わき》の下のホルスターを軽く叩《たた》いた。カスタムモデルのスミス・アンド・ウェッソンM-39だ。

「起こすのは悪いと思ったんですが、警部」とテネンボイムは言う。「ほんとには眠っていないようだったんで」

「眠ってたよ」ランツマンはショットグラスをとりあげた。一九七七年に開かれた万国博覧会の記念のグラスで、これが目下つきあっている女と言ってよかった。「ただ、俺は下着とシャツを着たまま眠るんだ」グラスを持ちあげ、シトカ万博このかた過ぎ去った三十年に乾杯した。あれが北方ユダヤ文化の絶頂期だったというのが世間一般の評価で、ランツマンはそれに疑義をはさむ立場にはない。あの夏にはまだ十四歳で、ユダヤ人女性の魅力に目覚めはじめていた頃だった。一九七七年がランツマンにとってある種の絶頂期だったことは確かだろう。「椅子《いす》に坐《すわ》って、銃《ショーレム》を身につけたままな」医者やセラピストや元の妻は、ランツマンの飲酒はある種の荒っぽい治療法で、気分をつかさどるメカニズムの真空管だかトランジスタだかを、アルコール度数五十度のプラムブランデーというハンマーでがんがん叩いて調整しているのだと考えていた。もっとも、ランツマンの気分には二種類しかない。仕事をしている気分と、死んでいる気分だ。マイヤー・ランツマンはシトカ特別区警察で最も表彰回数の多い刑事で、美しいフロマ・レフコヴィッツが毛皮商の夫に殺害された事件を解決したのも、〝病院殺人鬼〟ポドルスキーを捕まえたのも彼だった。またハイマン・ツシャルニーが連邦刑務所入りしたのも彼の証言のおかげであり、ヴェルボフ派ユダヤ教徒のギャングが起訴されて刑の執行にまで至った事例は後にも先にもそれだけだった。ランツマンは囚人なみの記憶力、消防士なみの度胸、住居侵入窃盗犯なみの視力の持ち主だ。犯罪捜査となれば、両足にロケットがついているかのようにシトカ中を飛びまわる。まるでカスタネットが派手に鳴りひびく映画音楽がいつも背景に流れているといった感じ。問題は、仕事をしていない時間帯だ。開いた脳の窓から、吸取紙の紙が次々とはがれていくように想念が吹き出していき、ときにはそれを押さえるために重い文鎮が必要になる。

「あんたのお仕事を増やしたくはないんですけどね」とテネンボイムは言った。

ランツマンは麻薬課にいた頃、テネンボイムを五回逮捕した。この二人の友情と呼べなくもない関係の基礎はそれだけだが、それだけですでに充分すぎた。

「これは仕事じゃないんだ、テネンボイム」とランツマンは言った。「好きでやってる」

「私も同じですよ」とテネンボイム。「しけたホテルの夜勤支配人をやってるのはね」

ランツマンはテネンボイムの肩をぽんと叩いた。それから二人は死んだ若者の部屋を調べるべく、〈ザメンホフ・ホテル〉でただ一つのエレベーター——扉の上の小さな真《しん》鍮《ちゅう》プレートによれば〝エレヴァトーロ〟——に窮屈に乗りこんだ。このホテルが建てられたのは五十年前で、案内や警告のたぐいはすべて真鍮プレートにエスペラント語で書かれている（ザメンホフはエスペラント語の創案者）。プレートのほとんどが今はもうないのは、怠慢や狼藉《ろうぜき》や消防規則のせいだ。

二〇八号室のドアやドア枠にむりやり押し入った形跡はなかった。ランツマンはハンカチをかぶせてドアノブをまわし、ローファーの爪先《つまさき》でドアを押し開けた。

「なんだか妙な感じがしたんですよ」テネンボイムがあとに続いて入ってきながら言った。「あの若いのを最初に見たときのことですけどね。その、〝壊れた人間〟って言い方があるでしょ」

ランツマンは、なんとなく身につまされる言い回しだと思った。

「そう言われる人間もたいていはその表現に値しない」テネンボイムは続けた。「ほとんどの人間は、私の意見では、もともと壊れるものを持ってないですからね。でもこのラスカーときたら。例のぽきんと折って灯りをつける道具があるでしょ、ケミカルライトってのかな。あの何時間か光るやつ。あれって中で割れたガラスがシャラシャラ鳴るじゃないですか。ま、どうでもいいんだけど。とにかく、なんだか妙な感じがしたんです」

「近頃は誰でも妙な感じを味わってるよ」ランツマンはそう言いながら室内の様子を黒い手帳に書きとめたが、本当はメモなどとる必要などなかった。人や物の外形的な細部はまず忘れないからだ。ゆるい結びつきしかないが一応仕事仲間といえる病理学者や心理学者、それに元の配偶者からは、酒を飲みすぎるとせっかくの記憶力が台なしになると言われてきたが、今までのところは残念ながら、その予告ははずれてきた。過去は、頭の中に無傷のまま残っていた。「警察じゃ、そういう連中のために専用の電話回線を一本設けたくらいだ」

「今はユダヤ人にとっておかしな時代だ」テネンボイムはランツマンに同調して言った。

「それは間違いないですね」

ベニヤ合板の簞笥《たんす》の上にはペーパーバックの本が何冊か積んであった。ベッドの枕元《まくらもと》の小卓にはチェス盤。どうやらゲームの途中らしい。盤の中央で黒のキングが攻められている混戦ぎみの中盤戦で、駒《こま》は白のほうが二つ多かった。安物のセットで、盤は二つ折りにできるボール紙。駒はプラスチック製で中が空洞、表面にはバリがついたままだ。テレビのそばの笠《かさ》が三つあるフロアランプは、一つだけがともっていた。バスルームの蛍光灯をべつにすると、室内の電球の半分はゆるめられているか、切れているかだ。窓敷居にはよく知られた商品名の下剤がひと箱置いてある。クランクで開閉する窓が限度いっぱいに開かれ、アラスカ湾から吹きこむ強い風が金属製のブラインドを数秒おきに鳴らす。運ばれてくるのはパルプになった木材の酸《す》っぱい匂《にお》い、漁船のディーゼル油の匂い、さばかれて缶詰にされる鮭《さけ》の匂いだ。ランツマンの世代のアラスカ在住ユダヤ人が小学校時代に習った『またふたたび《ノホ・アモル》』という歌によれば、湾から吹く風の匂いは、ユダヤ人の鼻を約束と機会と再出発の可能性の感覚で満たす。『またふたたび』はシトカへの移民が始まった四〇年代初頭にできた歌で、かつてモーセに率いられて約束の地にたどり着いたあの奇跡的な救済が再現されたことへの感謝の気持ちを表わしたものとされている。だが、昨今のシトカ特別区在住ユダヤ人はこの歌に皮肉な意味合いを読みとる傾向にあった。

「チェスの愛好家でヘロイン中毒者ってのはそう何人も知りませんよ」とテネンボイムが言った。

「俺もだ」ランツマンは死人を見おろしながら、この若者をホテル内で見かけたことがあるのに気づいた。まるで小鳥のような男だった。明るい瞳《ひとみ》、小さな嘴《くちばし》のような鼻。頬と喉に軽く赤みがさしていたのは、毛細血管が拡張する炎症のせいだろうか。極悪な犯罪者でもなく、卑劣きわまりない人間の屑《くず》でもなく、ふぬけになりきってしまった人間でもない。自分とそれほど変わらない男で、ただ中毒になるものが違っていただけかもしれない。爪《つめ》と肉の間はきれいだった。いつも帽子をかぶりネクタイを締めていた。脚注つきの本を読んでいるのを見かけたこともある。そのラスカーは今、壁の収納スペースから引きおろされたプルダウンベッドにうつぶせに寝て、顔を壁に向けていた。着衣はごく普通の白いパンツのみ。赤褐色の髪に赤褐色のそばかす。頬には三日分くらいの金色の不精髭《ぶしょうひげ》。二重顎《あご》の跡がうっすらと筋になって残っているのは、子供の頃太っていたせいだろう。赤黒い血に縁取られた眼窩《がんか》から飛び出しかけている膨れあがった眼球。後頭部には焦《こ》げ跡のついた小さな穴が開き、そこから血が一滴落ちていた。格闘した形跡はない。襲撃者が近づいてくるのも、撃たれるのも、知っていた様子はなかった。ランツマンはベッドに枕がないことに気づいた。「チェスをやると知ってたら、手合わせを願うんだった」

「あんたがチェスをやるとは知らなかった」

「弱いけどな」とランツマンは言った。クロゼットのそばで、薬用喉飴《のどあめ》のような黄緑色をした毛足の長いカーペットの上に、小さな白い羽根を一つ見つけた。クロゼットの扉を開けると、その床に枕があった。この枕ごしに銃を撃ったようだった。弾薬がガスを膨張させる音を抑えるためだ。「中盤戦に入ると勘をなくすんだ」

「私の経験から言うと、警部、ゲームは中盤戦がすべてですけどね」

「知ってるよ」

ランツマンは電話で相棒のベルコ・シェメッツを起こした。

「シェメッツ警部」ランツマンは官給の携帯電話〝角笛《ショファール》AT〟に声を送った。

「こういうのはもうやめてくれと頼んだはずだぞ、マイヤー」というのがベルコの応答だった。言うまでもなく、彼も次の勤務まであと八時間ある。

「お怒りはごもっともだが」とランツマン。「ひょっとしたらまだ起きてるかもと思ってね」

「起きてたよ」

ランツマンと違って、ベルコは結婚生活を台なしにしてはいなかった。私生活は安泰で、毎晩すばらしい妻と抱き合って眠る。ベルコは妻に愛される資格のある、そして愛されていることに感謝し、充分に報いている誠実な夫であって、妻を悲しませたり心配させたりすることは絶対にない。

「あんたの頭の上に呪《のろ》いが降りかかるといい」ベルコはそう言ったあと、「糞ったれめ《ゴッド・ダム・イット》」と英語で毒づき直した。

「俺が住んでるホテルで殺しがあったんだ」とランツマンは説明した。「被害者もホテルの住人で、後頭部に弾を一発ぶちこまれている。枕で音を消した、えらくきれいな手際《てぎわ》だ」

「プロか」

「だからおまえを煩《わずら》わす気になったんだ。普通の殺しじゃないようだから」

輪郭がぎざぎざの細長い都市圏をなすシトカ市は人口三百二十万人、殺人の年間発生件数は平均七十五件で、そこには組織犯罪がらみの事件も含まれる。ロシア系のやくざ者《シュタルケル》たちがフリースタイルのバトルをやるのだ。それ以外の殺人はたいてい痴情がらみで、酒と銃器という要素が加わることで発生する。冷酷で冷静な処刑スタイルの殺人などはめったに起こらない。かりに起これば、捜査室の大きなホワイトボードの未解決事件数を示す数字から抜くのは困難になる。

「あんたも今は非番なんだ、マイヤー。署に連絡しろよ。タバチュニクとカルパスにやらせてやりゃいい」

タバチュニクとカルパスは、シトカ特別区警察中央方面署の殺人課でB班のコンビを組んでおり、今月は夜勤に回っていた。なるほど鳩《はと》の糞《ふん》のような事件をあの二人の中折れ帽の上に落してやるのも悪くない。それはそのとおりだ。

「そうしてもいいんだが」とランツマンは言った。「ここは俺が住んでる場所なんでね」

「被害者とは知り合いだったのか」ベルコの口調が和らいだ。

「いや。そうじゃないが」

ランツマンはプルダウンベッドに横たわった死人のそばかすの散った青白い膚《はだ》から眼をそらした。ときに殺人の被害者が哀れでならなくなることがあるが、そういう感情は習慣にしないのが得策だった。

「よしと」とランツマンは言った。「じゃ、もうベッドに戻ってくれ。このことは明日話そう。邪魔して悪かったな。おやすみ。エステル＝マルケに謝っておいてくれ」

「なんだか声が変だぞ、マイヤー。大丈夫か」

この何ヵ月か、ランツマンは夜の非常識な時間に相棒に電話をかけたことが何度もある。泥酔《でいすい》者に特有の口調で騒々しく、くどくどと。ランツマンは二年前に結婚生活が破《は》綻《たん》し、今年の四月には妹を亡《な》くした。妹は小型飛行機パイパー・スーパーカブを操縦していて、ダンケルブラム山の山腹の繁《しげ》みに激突した。だが、ランツマンが今考えているのは、妹ナオミの死のことでも、離婚の恥辱のことでもない。彼をサンドバッグのように打ちすえたのは、この〈ザメンホフ・ホテル〉の薄汚れたラウンジのかつては白かった長椅子に坐って、本名はなんだか知らないがエマヌエル・ラスカーと自称する若者とチェスをしている自分の想像上の姿だった。ともに薄れていく最後の光を放ちながら、自身の内側の壊れたガラスがシャラシャラと可憐《かれん》に鳴るのを聞く。じつはランツマンはチェスが大嫌いだが、それでもその情景から感動の度合が減ることはなかった。

「被害者はチェスをやる男だったんだ、ベルコ。俺はそれを知らなかった。それだけのことだ」

「なあお願いだ、マイヤー」とベルコは言った。「頼むから泣きださないでくれよな」

「大丈夫だ」とランツマンは応じた。「おやすみ」

ランツマンは署の指令室に電話でラスカー事件の報告をし、自分を担当にしてくれるよう頼んだ。けちな殺人事件を一つ引き受けても、彼の高い検挙率がさがるわけではないし、だいいち検挙率などにはもうあまり意味はない。来年の一月一日をもって、西側に岩がちの海岸線をもつバラノフ島とチチャゴフ島を中心としたシトカ特別区の統治権は、アラスカ州に復帰するからだ。ランツマンが二十年間、身体《からだ》を張り、頭脳と魂の全力を打ちこんで勤務してきた特別区警察は消滅する。ランツマンやベルコやほかの警官たちが新しい組織で職を得られるかどうかはまだはっきりしない。来たるべき〝復帰〟に関してはすべてが不確かであり、だからこそ、今はユダヤ人にとっておかしな時代なのだった。

2

この地区の警邏《けいら》担当の巡査《ラートカ》たちが来るのを待つあいだ、ランツマンはホテル中のドアをノックしてまわった。住人の大半は夜の街に遊びに出ていた。部屋にいながら精神的な意味でどこかへ行ってしまっている者もいた。それ以外の場合でも、深夜のヒルシュコヴィッツ小学校の教室のドアをノックして回ったほうがましだった。〈ザメンホフ・ホテル〉の住人はみなそわそわした、なかば混乱した、いやな匂いのする、いかにも変人っぽいユダヤ人ばかりだが、今夜にかぎっていつもより混乱している者はおらず、ひとの後頭部に大口径の拳銃《けんじゅう》を押しつけて冷酷非情に引き金を引きそうな者は一人もいなかった。

「こんなとぼけた連中を相手にするのは時間のむだだ」ランツマンはテネンボイムに言った。「おまえ、ほんとに見覚えのない人間や普段と違うことを見てないんだろうな」

「ええ、申し訳ないですけど」

「なら、おまえもおとぼけ野郎だ」

「それは否定しませんがね」

「通用口はどうだ」

「前によく売人どもが使ってたから」とテネンボイム。「警報器をつけてます。侵入者がいたら警報が聞こえたはずですよ」

ランツマンはテネンボイムに、昼勤の支配人と週末担当の支配人に電話をかけさせた。両人とも自宅の寝床に居心地よくおさまっていた。二人ともテネンボイムの話を裏書きし、自分の知るかぎりラスカーを訪ねてきたり、ラスカーのことを尋ねたりした者はいないと証言した。それは最近のことだけではなく、ラスカーがこのホテルに滞在していた期間を通しての話だった。家族や親類や友達ばかりか、〈マニラの真珠〉の出前持ちすら来たことがない。それならラスカーと俺には違いがあったわけだ、とランツマンは思った。自分はときどきロメルにフィリピン風春巻《ルンピア》きを配達させるからだ。

「ちょっと屋上を見てくる」とランツマンは言った。「誰もホテルから出すなよ。巡査たちが来たら呼びにきてくれ」

ランツマンはエレベーターで八階まであがり、そこから縁《ふち》にスチール材を使ったコンクリートの階段を駆けのぼって屋上に出た。へりに沿って歩き、マックス・ノルダウ通りの向こうに建つ〈ブラックプール・ホテル〉の屋上を眺めやる。北と東と南の軒蛇腹ごしに、周囲をとりまく六、七階低い建物も見た。シトカ市の夜空は霧にナトリウム灯の光を映してオレンジ色の染《し》みを広げていた。それは鶏の脂《シュモルツ》で炒《いた》めた玉葱《たまねぎ》のように半透明だった。ユダヤ人の住宅の灯火は西のエッジカンブ山の斜面に広がり、海峡を満たす七十二の小島、〈黒海《シュヴァルツン・ヤム》〉、ハリバット海峡地区、南シトカ地区、ナハトシル地区、ハーカヴィー地区を経て、市街中心部《ウンターシュタート》へと続き、バラノフ山脈の東側で尽きていた。オイシュテルング島を眺めやれば、万国博覧会の唯一《ゆいいつ》の名残である建築物の〈安全ピン〉が、屋上の標識灯で航空機に警告のウィンクを送っている。ランツマンは缶詰工場の魚の内臓や屑《くず》肉、〈マニラの真珠〉の調理場の脂《あぶら》、タクシーの排気ガス、それに二街区離れた〈グリーンスプーンズ〉のフェルト製造工場の匂いを嗅《か》ぎとった。

「屋上は気持ちいいな」ランツマンはロビーに戻ってそう言った。灰皿、黄ばんだソファー、傷《いた》んだ椅子《いす》とテーブル。そのテーブルではときどきホテルの住人がピノクルの対戦で時間を潰《つぶ》しているのを見かける。「もっとちょくちょくあがることにしよう」

「地下室は？」とテネンボイムが訊《き》く。「あそこも見てきますか」

「地下室か」ランツマンの心臓が胸の中で、ふいにチェスのナイトのような動きをした。「見てきたほうがいいんだろうな」

ランツマンはそれなりにタフな男で、無謀な賭《か》けに出る性癖がある。人からはハードボイルドだの、向こう見ずだの、ろくでなし《モムゼル》だの、いかれた野郎だのと呼ばれてきた。やくざ者やサイコパスを相手に闘い、銃弾を受け、殴られ、冷凍され、焼かれてきた。容疑者を追跡して都会の壁のあいだを駆け抜けながら銃撃戦をしたり、熊《くま》の住む原野に入っていったりした。山、群衆、蛇の群れ、燃える建物、警官の匂いを嫌うよう仕込まれている犬。そんなもろもろの障害をものともせずに任務を果たしてきた。だが、光の射《さ》さない場所や閉ざされた場所に入ると、マイヤー・ランツマンの心の奥深くで動物的な本能がひくついた。元の妻以外の誰も知らないことだが、ランツマン警部は闇《やみ》を恐《おそ》れる男だった。

「一緒に行きますか」とテネンボイムが訊いた。底意のなさそうな言い方だが、テネンボイムのような勘の鋭い老ホモセクシュアルは油断がならない。

ランツマンは申し出を鼻であしらう演技をした。「いいから懐中電灯を貸してくれ」

地下室は樟脳《しょうのう》と灯油とひんやりした埃《ほこり》の匂いがした。紐《ひも》を引いて裸電球をつけ、息をとめてから階段を降りた。

降りきって、忘れ物を保管するスペースを通り抜ける。穴あきボードの棚やキャビネットには宿泊客が置いていったり忘れていったりした品物が千点ほどおさめられていた。そろっていない靴、毛皮の帽子、トランペット、ぜんまい仕掛けの飛行船の玩具《おもちゃ》。イスタンブールのオルケストラ・オルフェオンの全録音作品をそろえた蠟管《ろうかん》のコレクション。樹木伐採用の斧《おの》、二台の自転車、ホテルの備え付けのグラスに入れた部分入れ歯。鬘《かつら》、ステッキ、ガラスの義眼、マネキンのセールスマンが置いていった手だけのマネキン。祈《き》禱《とう》書、ファスナーがついたビロードの袋に入った祈禱用のショール、太った赤ん坊の身体に象の頭がついた奇天烈《きてれつ》な偶像。清涼飲料水を梱包《こんぽう》する木箱の一つには鍵《かぎ》がいっぱいに詰まり、べつの箱にはカールごてや睫毛《まつげ》カーラーなどありとあらゆる理容用具が入っていた。ほのぼのした時代を思わせる家族の額入り写真。ねじれたゴムの細い棒は謎《なぞ》めいているが、大人のおもちゃなのか、避妊具か、それとも特許を取得したコルセットのたぐいか。毛並みがつやつやかで真黒なガラスの眼玉が狡猾《こうかつ》そうなテンの剝製《はくせい》も一つ置き去りにされていた。

ランツマンは鍵の箱を鉛筆でかきまわした。帽子を一つずつ手にとって内側を見、棚に並んだペーパーバック本の向こうを手でさぐった。自分の心臓が打つ音と、息が発するアルデヒドの匂《にお》いを意識する。沈黙が何分か続いた頃から、耳の中の心拍音が人の話し声のように聞こえはじめた。湯のタンクのうしろを調べる。二つのタンクが鉄の帯でつながれているところは、まるで悲運に定められた冒険の同志といったふうだ。

その隣は洗濯室。電灯の紐を引いたが、灯りはともらない。だから真っ暗なままだが、もともと見るほどのものはなかった。何もない壁、切られた給水用のホース、それに床の排水孔だけ。〈ザメンホフ・ホテル〉ではずいぶん前にランドリー・サービスをやめていた。ランツマンは排水孔を覗《のぞ》いた。孔の中の闇は油のようにとろりとしているように見えた。腹の中でミミズがうごめくような感覚が起きた。手の指を曲げ伸ばしし、首を倒してコキコキ鳴らした。洗濯室の奥の壁には三枚の木板が釘《くぎ》づけされ、その上に第四の板が斜めに打ちつけられて、丈の低いドアを封印していた。木のドアにはロープを輪にしたものがついていて、それを掛け釘に引っかけて掛け金のかわりにしていた。

〝這ってしか入れない空間《クロール・スペース》〟。その言葉だけで、ランツマンはぞっとした。

プロの殺し屋ではなく、純然たるアマチュアでもなく、普通の異常者でもない、そんな殺人者が狭苦しい場所に隠れている可能性はどれくらいあるか考えてみた。ありえなくはない。だが、どういう種類の異常者であれ、内側からロープの掛け金をかけるのはひどく難しいだろう。という論拠だけで、ランツマンはそこを探さずに済ます気にほとんどなりかけた。が、結局は懐中電灯を点灯して口にくわえ、ズボンの裾《すそ》を少し引っぱりあげてしゃがんだ。自分を困らせるためにだ。なぜなら自分自身を困らせ、他人《ひと》を困らせ、世界を困らせることが、ランツマンをはじめとするユダヤ人の娯楽であり、唯一の精神的遺産だからだ。ホルスターからスミス・アンド・ウェッソンを抜き、あいたほうの手でロープの掛け金をはずす。それからぱっとドアを開けた。

「出てこい」ランツマンは乾いた唇で、怯《おび》えた年寄りのようなかすれ声を出した。

屋上での高揚感は焼き切れたフィラメントのように冷えた。何もかもむだに終わり、公私ともに失敗続きで、住み慣れたこの街ももうすぐ電球のように暗くなるだろう。ランツマンは上体を狭い空間の中へ突き入れた。空気は冷たく、ネズミの糞の匂いがした。小ぶりな懐中電灯の光はしたたり落ちるという感じで、ものを露《あらわ》にすると同時に影もつくる。壁はシンダーブロック、床は土、天井は配線やラバーフォームの断熱材が錯綜《さくそう》していた。中央奥寄りの床に丸い金属の枠があり、そこにベニヤ板がはめてあった。ランツマンは息をとめ、立ち騒ぐパニックの波をかきわけながら、そのベニヤ板のほうへ這《は》っていった。こうなったらできるだけ長くとどまって穴倉の中を調べる覚悟だ。枠の周囲の土は乱れていなかった。枠とベニヤ板には土埃が薄く均等に積り、その上には何かが触れたり擦《こす》れたりした痕跡《こんせき》はない。最近動かされたことはないようだ。指を隙間《すきま》にこじ入れ、ベニヤ板を枠からはずした。懐中電灯で照らすと、アルミ製の管が土に埋めこんであった。管の内側には突起が上下に並び、それを足がかりに下へ降りられるようになっている。ベニヤ板を囲んでいた金属枠はこの管の上縁だった。管の直径はちょうど大人のサイコ殺人者が一人入れる程度だ。もちろんユダヤ人の刑事も、暗闇恐怖症でなければ、入ることができる。ランツマンは身体を支えるための取っ手のように拳銃を握りしめながら、その暗い穴の中へ銃弾を撃ちこみたくなる異常な衝動と格闘した。それからベニヤ板を穴の上へ乱暴に戻す。誰が降りるものか。

闇は、階段をのぼってロビーへ引き返す途中しつこくついてきて、後ろ襟や袖《そで》を引っぱりそうだった。

「何もない」ランツマンは気持ちを立て直しながら、テネンボイムにそう言った。努めて陽気な声を出して。だが〝何もない〟というのは、この事件の捜査の成果を予言する言葉かもしれなかった。あるいはランツマンは、エマヌエル・ラスカーが生きてきた理由、死んだ理由、シトカがアラスカ州に〝復帰〟したあとに残るもの、そんなものも、〝何もない〟と考えていると宣言したのかもしれない。「異状は何もなかったよ」

「でもほら、コーンがいつも言ってるでしょ。このホテルには幽霊が出るって」とテネンボイムは言った。コーンというのは昼勤の支配人だ。「声を出したり、歩きまわったり。ザメンホフ教授の幽霊だってコーンは言ってますけどね」

「こんなぼろホテルに名前を使われたら、俺だって化けて出る」

「何が起きてもふしぎはないですよ」とテネンボイムは言った。「とくに近頃はね」

確かに近頃は何が起きてもふしぎではない。ポヴォロトニー通りでは猫と兎《うさぎ》がさかって可愛《かわい》らしいあいのこが生まれたという記事が、《シトカ・トーグ紙》の一面に写真入りで出ていた。今年の二月には、特別区の全土でおよそ五百人が二夜連続で、ゆらめくオーロラの中に顎鬚《あごひげ》をはやし、鬢《びん》から長く髪を垂らした男の顔を見たと証言した。空に現われたこの鬚もじゃの賢者は誰なのか、顔は笑っていたかどうか（それとも、おならが出そうになって困ったような笑いを浮かべていただけか）、またこの奇態な出現の意味は何か、などの大激論がわき起こった。そしてつい先週のこと、ジトロフスキー大通りにあるユダヤ教の掟《おきて》に従った食肉工場で、処理作業員《ショーヘット》が包丁を持ちあげて、アラム語で救世主《メシア》の到来が近いとする祈りの文句を唱えたとき、鶏《にわとり》が襲いかかってきて羽根が飛び散り、大騒ぎになるという事件が起きた。《トーグ紙》によれば、そのふしぎな鶏は驚くべき予言をいくつかしたという。もっとも同紙は、その鶏が神のようにふたたび沈黙したあとで化体《かたい》したスープにはまったく言及していなかったが。それについてランツマンは、歴史をひもとけばすぐわかるのにと思ったものだった。ユダヤ人にとっておかしな時代は、ほとんどいつも鶏にとってもおかしな時代だったのだ。*

＊　贖罪日に鶏を頭上で振りまわす儀式は、エルサレム神殿の崩壊後、山羊のかわりに鶏が犠牲の動物に使われたのが起源とされている。

3

通りに出ると、誰かがコートの前開きをはげしく振ってしずくを飛ばしたかのように、雨混じりの風が吹きつけてきた。ランツマンはすぐホテルの玄関口に引っこんだ。チェロのケースを背負った男と、バイオリンかビオラのケースを抱えた男が、風雨と闘いながら通りの向かいの〈マニラの真珠〉に向かっていた。シンフォニー・ホールは、マックス・ノルダウ通りのこの端から十街区離れたところにあり、世界一つを隔てているといっていい。だが豚肉、とくにこってり揚げた豚肉に対するユダヤ人の渇望《かつぼう》は強烈で、夜だろうと、店が遠かろうと、アラスカ湾から冷たい強風が吹いていようとめげずにやってくる。ランツマンはと言えば、東欧産のプラムブランデー、スリヴォヴイッツと万博の記念グラスが待っている五〇五号室に戻りたい欲求と闘っていた。

だが部屋には帰らず、煙草《パピロス》に火をつけた。ランツマンは十年間やめていた煙草《たばこ》を三年近く前にまた吸うようになっていた。きっかけは妻の妊娠だ。子供をつくるかどうかについてはそれまでに夫婦で大いに議論をしてきたし、身内の中には二人の初めての子供を待望する向きもあったが、現実に妻が身ごもったのは計画してのことではなかった。

子供を持つかどうかをさんざん考えたあとで妻が妊娠すると、これから父親になる男は相反する二つの感情に引き裂かれるものだ。ランツマンが十年ぶりにブロードウェイをひと箱買ったのは、妊娠十八週目の一日目——検査でよくない結果が出た日だった。かりにジャンゴと暗号名を与えていた胎児の身体《からだ》を構成する細胞の、全部ではないが一部で、二十番染色体が一本多いとわかった。そのような染色体はモザイク型と呼ばれ、深刻な障害を引き起こすかもしれないし、なんの影響も及ぼさないかもしれない。あれこれ本を読むと、医学を信じる人間は励まされるが、不信心者は意気阻喪する理由をたっぷり与えられる。ランツマンの相反する二つの感情と、意気阻喪と、何も信じない心の構えは変わらなかった。結局医者は、ラミナリア桿《かん》で子宮頸管《けいかん》を拡張させ、ジャンゴ・ランツマンの生命の封を破った。その三ヵ月後、ランツマンと彼の煙草は、ビーナとの十二年にわたる結婚生活のほとんどを送ったチェルノヴィッツ島の家を出た。罪悪感に耐えられなかったせいではない。罪悪感を抱えてビーナと一緒に暮らすことに耐えられなかったのだ。

一人の老人が、車輪にガタのきた一輪車を押すように右へ左へふらつきながら、ホテルの玄関のほうへ向かってきた。背が百五十センチもない老人で、大きなスーツケースを引きずっている。ランツマンは老人を観察した。丈の長い白いコートは前が開いて、白いスーツとベストが見えている。つばの広い白い帽子は深く引きおろして耳を隠していた。白い顎鬚ともみあげは、密生しているのにしょぼしょぼして見えた。スーツケースは汚れた紋織りの布地と傷だらけの革の異常な組み合わせだ。身体《からだ》全体が右に五度ほど傾いているのはスーツケースの重みのせいで、そこには鉛の地金がたっぷり入っているのかもしれなかった。老人は足をとめ、ランツマンに質問しようとするように人差し指を立てた。風が老人の鬚と帽子のつばを揺らしていた。風は老人の鬚と腋《わき》の下と息と皮膚から、煙草と濡《ぬ》れたフランネルの布地と路上生活者の汗のむっとする匂いをまき散らした。ランツマンは老人の古ぼけたブーツに眼をとめた。色は顎鬚と同じ黄味がかった象牙《ぞうげ》色《いろ》で、爪先《つまさき》がとがり、側面にボタンが縦に並んでいた。

そう言えば、テネンボイムをときどき軽微な窃盗罪や麻薬所持罪で逮捕していた頃、この頭のおかしげな老人をよく見かけたのを思い出した。当時すでに若くなく、今もその頃より老《ふ》けているわけでもない。みんながエリヤ（古代ヘブライの預言者）と呼んでいたのは、意外な場所にしょっちゅう現われること、いつも喜捨箱を持っていること、何か重大なことを話したそうな様子をしていることなどが理由だった。

「ちょっとお尋ねするが」と老人がランツマンに話しかけてきた。「ここは〈ザメンホフ・ホテル〉だね」

老人のイディッシュ語には聞き慣れない響きが含まれていた。オランダ訛《なま》りかもしれない。猫背で、痩《や》せこけているが、顔は、目尻《めじり》の皺《しわ》をべつにすれば若々しくつるりとしていた。青い眼にマッチの炎のような生気が見えるのがランツマンにはふしぎだ。〈ザメンホフ・ホテル〉にひと晩泊めてもらえると期待しても、普通はこんなに眼を輝かせたりしないだろう。

「そうだよ」ランツマンが〝預言者エリヤ〟にブロードウェイの箱を差し出すと、エリヤは二本抜きとり、一本をシャツの胸ポケットの聖遺物箱に入れた。「洗面所はお湯が出るし、おまわりさんだって住んでる」

「あんたは支配人かね、親切なお兄さん」

ランツマンは思わず苦笑した。一歩わきへ寄り、玄関のドアを手で示した。「支配人は中だ」

だが、老人はなおも雨に濡れて立っていた。顎鬚が停戦の旗のように小さく揺れていた。それから通りの薄暗い灯りで灰色に浮かびあがっている〈ザメンホフ・ホテル〉の没個性的な正面壁を見あげた。汚れた白い煉瓦《れんが》壁に細長い窓。このホテルはモナスティル通りのけばけばしい繁華街からわずか三街区離れているだけだが、除湿機のように飾り気がない。そのネオンサインの瞬《また》きは向かいの〈ブラックプール・ホテル〉の負け犬たちの夢を苦しめていた。

「ザメンホフ」と老人は明滅するネオンサインの文字を読んだ。「あのザメンホフじゃないだろうな。ザメンホフというのは」

ようやく制服警官がやってきた。ネツキーという新人だった。丸くて平たい、つばの広い警邏《けいら》巡査用の帽子を片手で押さえながら駆けてくる。

「警部」ネツキーは息を切らしながらいい、老人を横目で見て軽く会釈《えしゃく》をした。「こんばんは、じいさん。あのう警部、すいません、今連絡をもらったところです。ちょっと休憩してたもんで」ネツキーの息はコーヒーの匂いがし、青い上着の袖口には砂糖がついていた。「被害者はどこですか」

「二〇八号だ」ランツマンは玄関のドアを開けてネツキーを中に入れ、エリヤ老人を振り返った。「じいさんも入るかい」

「いや」と老人は答える。その口調には、ランツマンに意味の読みきれないある種の感情が軽くこもっていた。後悔か、安堵《あんど》か、それとも失望することに慣れている人間の陰気な喜びか。老人の眼に閉じこめられた炎が消えて涙の薄膜が浮いた。「いや、何かなと思って見にきただけなんだ。ありがとう、ランツマン巡査」

「今はもう刑事だよ」ランツマンは老人がこちらの名前を知っているのに驚いた。「俺を覚えているのか、じいさん」

「わしはなんでも覚えている」エリヤ老人は色あせた黄色いコートのポケットから喜捨箱を出した。インデックスカードを入れるための木棺のような黒い小箱だ。箱の前面には ヘブライ語で〝イスラエルの地《エレツ・イスラエル》〟と書いてある。蓋《ふた》には硬貨や折りたたんだ紙幣を入れるための細長い穴があいていた。「少しでいいんだが、ご喜捨を願えないかな」シトカのユダヤ人にとって、聖地はあまりにも遠くてたどり着けない場所のように思えた。それは地球の反対側にある。そこを支配しているのは、ひと握りの例外を残して、あとはユダヤ人を締め出しておこうという決意だけで連帯している連中だ。この半世紀のあいだ、アラブの独裁者やイスラム組織の不正規軍、ペルシャにエジプト、社会主義者に国家主義者に君主制支持者、汎《はん》アラブ主義者に汎イスラム主義者、伝統主義者にア リ党が、そろって〝イスラエルの土地〟に咬《か》みつき、肉を食らって、骨と軟骨だけにした。エルサレムは血まみれの都市となり、壁にはさまざまなスローガンが書かれ、電柱には切られた首が吊《つ》るされた。世界中の律法《トーラー》を厳守するユダヤ人はいつの日かシオンの地で暮らす希望を棄《す》ててはいない。だが、ユダヤ人は過去三回にわたって故郷を追い出されている——紀元前五八六年、紀元七〇年、そして一九四八年に。いかに信仰心の厚いユダヤ人でも、もう一度あの地に足を踏み入れるチャンスについては悲観的にならざるをえなかった。

ランツマンは財布を出し、折りたたんだ二十ドル札をエリヤ老人の喜捨箱に入れた。

「まあ頑張って」

老人は重そうなスーツケースを持ちあげ、引きずるような足どりで歩きだした。ランツマンは老人の袖をつかんで引きとめた。一つ訊《き》いてみたいと思ったのだ。ユダヤ人が大昔から持ちつづけてきた故郷を求める気持ちについて、子供じみた質問をしてみたいと。老人は振り返ってわざとらしい警戒の表情を浮かべた。この刑事は面倒な男かもしれないというように。ランツマンは、血流からニコチンが退《ひ》いていくように、その質問をしたい気分が失《う》せていくのを感じた。

「そのスーツケースには何が入ってるんだ、じいさん」とランツマンは訊いた。

「本が一冊」

「一冊だけか」

「とても大きな本でな」

「長い話なのか」

「とても長い話だ」

「どういう話」

「救世主の話だ」とエリヤ老人は言う。「さあ、手を離してくれんかな」

ランツマンは離した。老人は背筋を伸ばして頭をあげた。眼から雲が吹き払われていた。怒りと蔑《さげす》みがあらわになり、とても老人には見えなかった。

「救世主はもうすぐやってくる」老人の言葉は、警告とまでは言えないが、救済の予告にしてはいささか温かみを欠いていた。

「じいさんは救われたよ」ランツマンは親指でホテルのロビーを指した。「今夜は部屋が一つ空いてる」

老人は傷ついたような顔をした。あるいは嫌悪《けんお》を覚えただけだろうか。黒い喜捨箱を開けて中を見る。さっきランツマンが渡した二十ドル札を出して、突き返してきた。それからスーツケースを持ちあげ、白い帽子のへなへなした広いつばを引きおろして、雨の中へ出て歩きだした。

ランツマンは紙幣をくしゃりと握ってポケットに突っこんだ。煙草を靴で踏みにじり、ホテルのロビーに戻った。

「あのいかれたじいさんは何者ですか」とネツキーが訊く。

「エリヤと名乗ってますがね。べつに害はないですよ」とフロントの受付窓の金網の向こうからテネンボイムが答えた。「以前はときどきこの辺でも見かけました。いつも救世主のポン引きをやってます」テネンボイムは金色のつまようじで歯をせせる。「ねえ警部。これは言っちゃいけないことになってるけど、あんただから言っちゃいますがね。ここの経営者は明日手紙を一通出すことになってるんですよ」

「その話、ぜひ聞きたいな」とランツマン。

「ホテルをカンザスシティーの会社に売ったみたいです」

「俺たちは追い出されるわけだ」

「そうかもしれないし、そうでないかもしれない」とテネンボイムは言った。「住人も従業員もどうなるかはまだわからないんです。住人は立ち退きの線も充分ありますね」

「明日出す手紙にはそのことが書かれているのか」

テネンボイムは肩をすくめた。「法律屋の言葉で書かれてますからね」

ランツマンはネツキー巡査に玄関の張り番を命じた。「野次馬には何も話すな。それと邪険に扱うなよ。挑発されてもな」

深夜勤務の検視官メナシェ・シュプリンガーが、黒いコートに毛皮の帽子のいでたちで、雨音とともにロビーに飛びこんできた。片手にはしずくが垂れている傘。もう片方の手は車輪のついたクロームめっきのスーツケースを引いている。スーツケースには、黒いビニール製の道具箱とプラスチック製の容器がゴムロープで留めてあった。シュプリンガーは消火栓のようにずんぐりした体型で、脚はがに股《また》、猿のように長い腕は肩を省略して首とじかにつながっているように見える。顔の大半はたるんだ顎《あご》で、皺を刻んだ額は中世の木版画で〝勤勉〟の寓意《ぐうい》となるドーム型の蜂《はち》の巣のようだ。プラスチック製の容器には〝証拠〟と、青い文字で大きく書かれている。

「きみはここを出ていくのか」とシュプリンガーが訊いてきた。これは最近珍しくない挨拶《あいさつ》の言葉だ。この二、三年のあいだに多くの市民がシトカを出た。受け入れてくれる国は少ないが、その中には話にのみ聞くユダヤ人集団迫害《ポグロム》なるものを自分たちもやってみようと志しているところもあるに違いない。ランツマンはどこへも行くつもりはないとかねてから公言していた。受け入れ国のほとんどはその国にユダヤ人の親類がいることを条件にしている。ランツマンの親類はみな死んだか、彼ら自身が〝復帰〟問題に直面していた。

「それなら今さよならを言っておくよ」とシュプリンガーは言った。「明日の夜の今頃、私はカナダのサスカチュワン州にいる。あそこは陽射《ひざ》しが暖かい」

「サスカトゥーンあたりかな」とランツマンは当て推量をいった。

「今日の気温は零度だったそうだ」とシュプリンガー。「最高気温がね」

「こう考えるといい」とランツマンは言った。「このぼろホテルでも生きているやつはいるんだとね」

「〈ザメンホフ・ホテル〉」シュプリンガーは記憶の中からランツマンのファイルを引っぱり出し、中身を見て顔をしかめた。「なるほど。住めば都というわけか」

「俺の今の生活スタイルにぴったりなんだ」

シュプリンガーは薄い笑みを浮かべたが、そこには同情の色がほとんどなかった。

「それで、死人のお部屋へはどう行くのかな」

4

シュプリンガーはまず、ラスカーがゆるめておいた電球を全部ねじこみ直した。それから保護眼鏡を額からおろして検視作業にとりかかった。マニキュアとペディキュアを施すように爪《つめ》を調べ、口の中を覗《のぞ》いて、切断された指か青銅の硬貨がないか調べる。粉と刷毛《はけ》で指紋を浮きあがらせる。ポラロイド写真を三百十七枚撮る。被写体は死体、部屋、穴のあいた枕《まくら》、検出した指紋などだ。チェス盤の写真も一枚撮った。

「俺にも一枚頼む」とランツマンは頼んだ。

シュプリンガーは殺人によって対戦が中断されたチェス盤の写真をもう一枚撮った。そして片眉《まゆ》をあげながらそれをランツマンによこした。

「これは貴重な手がかりだ」とランツマンは言った。

シュプリンガーは駒《こま》を一つずつとって、死人が試みようとしていたニムゾ・クロアチアン・ディフェンスだかなんだかを解体し、一つずつファスナーつきビニール袋におさめた。

「きみはなぜそんなに汚れてるんだ」とシュプリンガーはランツマンには眼を向けずに

訊いた。

ランツマンは自分の靴やシャツの袖《そで》やズボンの膝《ひざ》についた薄茶色の埃《ほこり》に気がついた。

「地下室を見てきたんだ。太い管がたくさんある。よくわからないが水道やガスの配管だろう」頬に血が流れこむのを感じた。「一応調べてきたんだ」

「ワルシャワのトンネルみたいなものがあるんだよ」とシュプリンガーは言った。「市街中心部《ウンターシュタート》のこのあたりの地下に張り巡らされてるんだ」

「まさか本気で信じてるんじゃないだろうな」

「戦後初めてここへ流れこんできた難民の中に、ワルシャワ・ゲットーにいた連中がいた。あるいはビヤウィストック（ザメンホフの生地であるポーランドの都市）から来た連中とかね。つまり元パルチザンだ。その中にはアメリカを信じきれない人間がいたんだろう。だからトンネルを掘ったんだ。また戦う必要が出てきたときのために。この辺が〝下の街《ウンターシュタート》〟と呼ばれる本当の理由はそれなんだ」

「ただの噂《うわさ》だよ、シュプリンガー。都市伝説だ。あれはただの水道管やガス管だ」

シュプリンガーはうなった。バスタオル、ハンドタオル、すりへった石鹸《せっけん》を個別のビニール袋におさめた。トイレの便座に貼《は》りついた赤褐色の陰毛を一本つまみとって、やはり袋に入れる。「噂と言えば」とシュプリンガーは言った。「フェルゼンフェルトから何か連絡はあったかね」

フェルゼンフェルトというのは、殺人課課長、フェルゼンフェルト警視のことだった。「連絡も何も、今日の昼過ぎに会ったばかりだ」とランツマンは答えた。「といっても話はしなかったがね。あの親父《おやじ》とはこの十年で二言か三言しかしゃべってない。今のあんたの質問はなんなのかな。噂ってどういう噂だ」

「ちょっと訊いてみただけさ」

シュプリンガーはラテックス製の手袋をはめた手で、ラスカーのそばかすの散った左腕を撫《な》でていた。腕には注射跡と、血管を浮き出させるために縛った跡があった。「フェルゼンフェルトは一日中腹に手をあててたよ」ランツマンは思い返しながらいった。「〝逆流〟とかなんとか言ってたな」少し間を置いて、「どうだ、何かわかるか」

シュプリンガーはラスカーの肘《ひじ》の上を見て眉をひそめた。圧迫した跡が何重にもなっていた。「ベルトを使ったみたいだ。ただ、被害者のベルトだと幅が広すぎて痕跡《こんせき》と合わない」シュプリンガーはすでにラスカーのベルトを、灰色のズボン二本と青いブレザー二着と一緒に茶色い紙袋に入れていた。

「注射の道具はその抽斗《ひきだし》の中にあるよ。黒いポーチだ」とランツマン。「よくは見てないがね」

シュプリンガーはベッドわきの小卓の抽斗を開けて、黒い洗面用具入れを出した。ファスナーを引き開けてすぐ、喉《のど》で奇妙な音を立てた。洗面用具入れの開いた口がこちら向きになっている。だが最初は、何がシュプリンガーの興味を引いたのかわからなかった。

「このラスカーという男についてきみは何を知ってる」とシュプリンガーが訊く。

「趣味はチェス、と推理してみようかな」とランツマンは答えた。部屋に三冊ある本のうちの一冊は、ジークベルト・タラッシュ（ドイツのチェスの名手。一八六二－一九三四年）の『チェス三百番勝負』だった。表紙に折れ目があり背表紙が割れているペーパーバック本だ。裏表紙の内側にマニラ紙のポケットが貼りつけてあり、シトカ市中央図書館の貸出カードが入っている。最後に貸し出されたのは一九八六年七月だった。ランツマンは、そう言えば元妻と初めてセックスしたのはまさに一九八六年の七月だった、などとつい考えてしまう。ビーナはそのとき二十歳、ランツマンは二十三歳。北国の夏がたけなわの頃だった。一九八六年七月という時はランツマンの幻影のポケットに差しこまれたカードに刻印されている。部屋にある本のうち残りの二冊はユダヤ人作家の三文スリラー小説だった。「それ以外は山羊《やぎ》の糞《くそ》ほどのことも知らないな」

腕を調べ終えたシュプリンガーは、ラスカーが血管を浮き出させるのに使ったのは革《かわ》紐《ひも》で、色は黒、幅は一センチ強と推論を述べた。ラスカーの洗面用具入れからその革紐を、咬《か》まれるのを怖《おそ》れるように二本指でつまんで引っぱり出した。革紐の中ほどには革製の小さな箱がついていた。小箱の中には小さな紙切れが入っていて、そこに律法《トーラー》から引用した四つの文章が書いてある。敬虔《けいけん》なユダヤ教徒は毎朝この聖句箱《テフィリン》と呼ばれる小箱を左腕と額に一つずつくくりつけ、人に一生のあいだ毎日こんなことをさせたがる神のことが理解できますようにと祈るのだ。もっとも、エマヌエル・ラスカーの聖句箱には何も入っていなかった。薬物を注射するとき腕を縛るのに革紐を使っていただけのようだ。

「これは新しい手法だね」とシュプリンガーは言った。「聖句箱の紐で縛るのは」

「そう言えば、そんな感じもあるな」とランツマン。「昔は黒い帽子をかぶったハシディズム派（十八世紀に東欧で生まれたユダヤ教の神秘主義的運動を継承する教派）のユダヤ教徒だったみたいな雰囲気がね。見た感じが――どう言うんだろう、顎鬚を剃《そ》り落としたあとみたいな顔をしてる」

ランツマンは手袋をはめてラスカーの顎をつまみ、膨れあがり血に汚れた仮面のような顔を左右に傾けた。「顎鬚を生やしていたとしても、かなり前のことだな。膚《はだ》の色は均質だ」

ランツマンは顎を離して死体から離れた。ラスカーを堕落したハシディズム派と断定するのは早すぎるかもしれない。だが、二重顎の跡と零落した雰囲気から、もともとは安ホテルで暮らす、靴下もはいていないような薬物中毒者よりは上の階層に属していたのではないかと思わせた。ランツマンはため息をついた。「サスカトゥーンの、陽がさんさんと照る砂浜で寝そべっていられたらどんなにいいかね」

廊下で人の声がした。金属や革帯のこすれあう音がして、死体安置所の作業員二人が、折りたたみ式の車輪つき担架を押して入ってきた。シュプリンガーは二人に証拠物の容器や衣類を詰めた紙袋も持っていくように指示し、スーツケースの車輪をきゅるきゅる鳴らしながら部屋を出ていった。

「まったく、糞ったれだ」とランツマンは作業員たちに言った。被害者のことではなく、事件のことだった。その判定が二人に新鮮な驚きを与えた様子はなかった。自分の部屋に戻って、スリヴォヴィッツと愛着深い万博記念グラスのコンビと再会した。厚紙合板の机のそばの椅子《いす》に坐《すわ》った。汚れ物のシャツがクッションがわりだ。ポケットからポラロイド写真を出して、ラスカーが残したチェスの盤面を見た。次は白の番か黒の番か、そして、どういう指し手が順当かを考えてみる。だが、盤上の駒の数が多すぎ、頭の中だけで指すのは難しかった。実際に駒を並べてみようにもランツマンはチェスのセットを持っていない。そのうちに、うとうとしかけた。が、眠るわけにはいかない。眠ればエッシャーの騙《だま》し絵もどきの夢を見るに決まっている。眺めていると眩暈《めまい》を起こしそうな市松模様の上で、巨大なルークが男根めいた影を落としている夢を。

ランツマンは服を脱ぎ、シャワーの湯に打たれた。そのあと三十分だけ横になり、眼を開けたまま、記憶のビニール袋からスーパーカブに乗った妹や、一九八六年夏のビーナの面影をとりだした。その面影を、図書館から盗んだ埃まみれの本に採録されたチェスの名局の棋譜《きふ》のように仔細《しさい》に研究した。その無益な研究を三十分続けたあと、ランツマンは中央方面署へ事件の報告をしに出かけた。

5

ランツマンがチェス嫌いになったのは、父親とヘルツ伯父のせいだった。父親とヘルツ伯父はポーランドのウッチに住んでいた頃の幼なじみで、あの都市にあった〈マカビー青少年チェス・クラブ〉の会員だった。ランツマンは二人が一九三九年の夏のことをよく話していたのを覚えている。かの偉大なるサヴィエリ・タルタコーワが彼らのチェス・クラブに立ち寄り、手ほどきをしてくれたのだ。タルタコーワはポーランドの市民権を持つチェスのグランドマスターで、〝盤上ではあらゆる悪手が指されるのを待っている〟という名言で有名だ。フランスのチェス雑誌のためにパリからトーナメントの取材に来たさい、〈マカビー青少年チェス・クラブ〉の会長を訪ねてきた。二人は第一次世界大戦時にオーストリア・ハンガリー帝国皇帝フランツ・ヨーゼフのためにロシア戦線で戦った戦友だったのだ。会長の強い求めに応じて、タルタコーワはクラブで一番強い会員と手合わせすることにした。それが、イジドール・ランツマンだった。

二人は対坐《たいざ》した。がっちりした体軀《たいく》をあつらえの洋服で包んだ元兵士のグランドマスターは、粗野な感じだが上機嫌、かたや十五歳の少年のほうは外斜視で、額が禿《は》げあがったように広く、鼻の下には煤《すす》の汚れとよく間違われるうっすらした髭《ひげ》が生えていた。少年が白を持ち、イングリッシュ・オープニングで戦端を開いた。最初の一時間ほどは、タルタコーワは何も考えず機械的に指しているように見えた。頭脳の高性能のエンジンをアイドリングさせたままの、教科書どおりの駒の進め方だった。三十四手目には、穏やかな冷笑とでもいうべきものを浮かべて引き分けにしようと申し出てきた。イジドール少年は尿意を催していたし、耳鳴りがしていた。そのまま続けても敗北を少し引き延ばすだけのことだった。それでも、申し出を断わった。今はもう感覚だけで必死に戦っていた。攻撃には逆襲し、駒交換《エクスチェンジ》には応じない。武器は意固地なまでの粘りと野生の直観だけだった。四時間十分を経過して、七十手目を指したタルタコーワは、前と違って穏やかさのない口調で引き分けを申し出た。少年は耳鳴りと尿意に耐えきれず、受け入れた。のちにランツマンの父親は、俺の脳みそはあのときの厳しい試練からまだ立ち直っていないような気がすると洩《も》らしたものだった。もちろん、イジドール少年の未来にはもっと厳しい試練が待ち構えていたのだが。

「全然愉《たの》しいゲームじゃなかったよ」父親たちの思い出話の中では、タルタコーワは椅子から腰をあげながらそうぼやいたことになっていた。人の弱り目に目ざといヘルツ・シェメッツは、トカイ・ワインのグラスをさっととった名人の手が震えていたのを見逃していなかった。タルタコーワはイジドール少年の頭を指さしていった。「しかし、この中で生きろと言われるよりはましだったな」

それから二年足らずのち、ヘルツ・シェメッツは自分の母親や妹のフレイドルと一緒にアラスカのバラノフ島へ渡ってきた。東欧からのユダヤ人移民の第一波だった。彼らは悪名高いダイヤモンド号で運ばれてきた。ダイヤモンド号は第一次大戦時の兵員輸送船で、内務長官ハロルド・イッキーズの命令で樟脳《しょうのう》臭い倉庫の奥から引き出され、皮肉な意味をこめて、アラスカ準州下院代議員だった故アンソニー・ディモンドの名に似せて命名し直したという噂だった(ディモンドはワシントンDCの街頭でデニー・ラニングというだめ男《シュレミール》のタクシー運転手に酒酔い運転ではねられて死に、そのためにラニングはシトカ特別区のユダヤ人から英雄視されているが、それというのもディモンドは、シトカ特別区の設置を定めるアラスカ移民法案を委員会で葬《ほうむ》り去ることに成功しかけていたからだった)。膚の青白い痩《や》せたヘルツ・シェメッツは、スープの匂《にお》いが立ちこめ、床に錆《さび》混じりの水が溜《た》まっている薄暗いダイヤモンド号から降りると、シトカ松の香りがする爽《さわ》やかな冷たい風に当惑した。ヘルツとその家族も、ほかのユダヤ人も、一九四〇年に成立したアラスカ移民法の規定によって、番号をふられ、予防接種を施され、シラミの駆除を受け、渡り鳥のように札をつけられていった。彼らが所持しているのは表紙がボール紙の〝イッキーズ旅券〟で、特別薄い紙に特別にじんだインクで特別な緊急ビザの文言が記されていた。

移民はバラノフ島以外へは行けなかった。イッキーズ旅券の最初のページに大文字でそう書かれていた。シアトルやサンフランシスコはもちろん、同じアラスカ州内のジュノーやケチカンにすら行くことは許されていなかった。通常の移民法で定められたユダヤ人移民の人数制限はなおも有効だったからだ。都合よくディモンド代議員が死んだあとですら、アラスカ移民法をアメリカ国民に呑《の》ませるには硬軟両用の駆け引きが必要であり、ユダヤ人移民の権利要求を制限することが法案成立の条件となったのだ。

ドイツとオーストリアのユダヤ人に続いて、シェメッツ一家を含む東欧ユダヤ人移民はスラタリー基地に収容された。基地はロシア領時代のアラスカの首都で、なかば朽ちかけていながらもしぶとく生き延びているシトカから十数キロ離れた沼沢地《しょうたくち》のただなかにあった。半年間、隙間《すきま》風の入るトタン屋根の小屋やバラックに住んで、一生懸命この土地に慣れる努力をしたが、その訓練をしてくれたのは、連邦政府の土地と天然資源の管理を担当する内務省と契約を交わしている百五十億匹ほどの蚊のチームだった。ヘルツ伯父は初め道路工事班に入れられたあと、シトカ空港を建設する班に編入された。シトカ湾に沈ませた潜函《せんかん》の中で泥の浚渫《しゅんせつ》作業をしていたとき、ほかの作業員のシャベルが口に当たって臼歯《きゅうし》を二つ失った。後年、伯父と一緒に車でチェルノヴィッツ橋を渡るときはいつも、鋭角的な顔立ちの伯父は眼つきを険しくし、顎を撫《な》でながら恨めしそうな表情を浮かべたものだった。フレイドルが通った学校は夏でも薄ら寒い納屋《なや》を転用したもので、頻繁に降る雨が屋根を叩《たた》いてその音がやかましく響いた。ヘルツ伯父の母親は鍬《くわ》や肥料や灌漑《かんがい》用ホースの使い方など農作業の基本を教わった。アラスカの耕作可能な期間は短かったが、彼女はアラスカでの滞在も短くするつもりでいた。シトカ入植地を種や球根を保存しておく地下室か小屋のようなものと考えていた。自分と子供たちは球根であり、ひと冬辛抱すれば、故郷の畑の雪が溶けて、またそこへ植えてもらえると期待していた。ヨーロッパの土壌にはうんと深いところまで塩と灰が鋤《す》きこまれているなどとは、誰も想像だにしていなかった。

シトカ入植地会社による慎ましい住宅の建設と農業協同組合の設立が実現しなかったのは、日本が真珠湾を攻撃したせいだった。内務省は石油や鉱物資源の確保という戦時の緊急重大課題に努力を集中させた。〝イッキーズ大学〟と呼ばれた半年間の移民訓練過程が終わると、シェメッツ一家はほかの難民ともども、あとは自助努力せよと放り出された。ディモンド代議員が予言したとおり、移民は急速に発展しはじめたシトカ市街地に流れこんだ。ヘルツは新設のシトカ職業技術専門学校で刑事司法学を学び、一九四八年に卒業すると、アメリカの大手法律事務所のシトカ初の支部に就職した。妹のフレイドル、すなわちランツマンの母親は、入植地で結成されたガールスカウトの最初期のメンバーになった。

一九四八年。ユダヤ人にとっておかしな時代だった。八月にエルサレム防衛部隊が壊滅して、建国後三ヵ月しか経たないイスラエルのユダヤ人は多勢に無勢で完敗し、殺戮《さつりく》され、海に追い落とされた。ヘルツがフェーン・ハーマタン・アンド・ブラン法律事務所で働きはじめた頃、連邦議会下院の海外領土・島嶼《とうしょ》問題委員会が、アラスカ移民法により要請されつつも大幅に遅れていたユダヤ移民の地位見直しにようやく着手した。議会全体と国民の大半と同じように、同委員会は、ヨーロッパにおけるユダヤ人二百万人の虐殺《ぎゃくさつ》、シオニズムを奉じる暴徒の残虐さ、そしてパレスチナとヨーロッパから流出するユダヤ人難民の苦境を知り、この問題を真剣に考えはじめたのだ。だが、委員会は現実主義的でもあった。シトカ入植地の人口はすでに二百万人に膨れあがっているばかりか、移民はアラスカ移民法にはっきりと違反して、バラノフ島の西岸、さらには隣のクルーゾフ島やチチャゴフ島まで居住地を広げつつあった。それらの地域の経済は活発になった。ユダヤ系アメリカ人は猛烈なロビー活動を展開した。その結果、連邦議会はシトカ入植地に連邦特別区としての〝暫定的地位《ざんていてきちい》〟を認めるに到《いた》ったのだ。もっとも、将来的に州に昇格する可能性は明示的に排除され、《デイリー・タイムズ紙》には〝ユダヤスカ州は作らない。議会が確約〟の見出しが躍った。つねに〝暫定的〟という言葉が強調された。六十年後にはその地位は元に戻り、シトカのユダヤ人はふたたび自分たちで行き場を決めなければならないと定められた。

特別区成立からまもない九月のある日の暖かい午後、昼休みを延長してスアード通りをぶらぶら歩いていたヘルツ・シェメッツは、ウッチ時代の旧友イジドール・ランツマンとばったり出会った。イジドールはヨーロッパの死の収容所から難民収容所を経てウィリウォー号に乗りこみ、一人でシトカへやってきていた。二十五歳の若さで頭は禿げ、歯のほとんどを失っていた。身長百八十センチで、体重は五十六キロ。異臭を放ち、気が触れたかのような話し方をした。家族は全員死んだと言う。シトカの商業地区のいかにも開拓最前線的《フロンティア》な騒々しい活気にも、青いスカーフを頭に巻き、黒人霊歌のメロディーにリンカーンやマルクスの言葉をわかりやすく言い換えたイディッシュ語の歌詞を載せて歌いながら働く若いユダヤ娘たちにも、とくに何かを感じている様子はなかった。魚や材木や掘り起こされた土の匂い、浚渫機や山を削ってシトカ海峡を埋める蒸気ショベルのうなり、そのどれも心に触れないようだった。うなだれ、背中を丸めて、まるで一つの亜空間からべつの亜空間へ不可解な方法で移動していく過程でこの世界を通過しているだけ、といった風情《ふぜい》で歩いていた。彼の通り道である暗いトンネルを貫通するものも、明るく照らすものも皆無だった。それでもイジドールは、髪を油でてからせ、〈カイザー〉の自動車のような靴をはき、〈ウールワース〉のカフェのカウンターで食べてきたばかりのグリルド・オニオン・チーズバーガーの匂いをさせて微笑《ほほえ》んでいる男が、〈マカビー青少年チェス・クラブ〉の仲間だった幼なじみのヘルツ・シェメッツだと気づくと、うなだれていた頭をあげた。イジドールは慢性の肩こりが消えたように感じた。

口を開けたが、衝撃と喜びと驚きで言葉が出ず、また閉じてしまった。それからわっと泣きだした。

ヘルツはイジドールを連れてまた〈ウールワース〉に引き返し、昼食（卵サンドイッチに、イジドールには初めてのミルクセーキに、まずまずの味のピクルス）を食べさせ、それからリンカーン通りに新しくできた〈アインシュタイン・ホテル〉へ案内した。そのカフェはチェスを愛好する亡命ユダヤ人の溜まり場で、情け容赦のない戦いが毎日繰り広げられていた。この日のイジドールは久しぶりにたっぷりとった脂肪分と糖分、それにチフスの長引く後遺症のせいで精神状態が尋常でなく、店の客全員を負かしてしまった。挑まれれば拒まず、片っ端から完膚無きまでやっつける。そのやり方が憎々しいので、この男は絶対に赦《ゆる》さんと怒り狂ってカフェを出ていく者もいた。

その頃からすでにイジドールは、のちに息子のマイヤーをチェス嫌いにしてしまう陰々滅々として苦悩に満ちた指し方をしていた。「きみの親父《おやじ》さんのは、歯痛と腹痛と痔《じ》を我慢しながらやってるようなチェスだった」とあるときヘルツ伯父がランツマンに言ったが、まさにそのとおりだった。ため息をつく、うなる。残り少ない茶色い髪の毛を発作のようにつかんで引っぱる、菓子職人が大理石の台の上に小麦粉をまくような手つきで頭皮をこする。対戦相手がまずい手を指すと、そのたびに腹に激痛が走ったかのような反応を示す。それに対してイジドール自身の指し手は、どれほど大胆かつ驚異的かつ独創的かつ強力であっても、当人にとっては次々に襲いくる怖《おそ》ろしい知らせであるらしく、口に手をあて、眼をみはって眺めるばかりだった。

ヘルツ伯父の流儀はそれとはまったく違った。淡々と関心なさそうに指し、まるでもうすぐ食事が出るか、きれいな娘が膝《ひざ》に乗るとでもいうように、盤に対して身体をやや斜めに構えた。だが伯父はすべてを見ていた。〈マカビー青少年チェス・クラブ〉でタルタコーワの内心の動揺を示す手の震えを見てとったあの日と同じように。形勢を逆転されても慌《あわ》てず、チャンスが到来してもかすかに面白がるような表情を覗《のぞ》かせるだけだった。ブロードウェイをぎりぎりまで吸いながら、幼なじみが〈アインシュタイン・ホテル〉のカフェに集う腕自慢たちを相手に呻吟《しんぎん》し、身悶《みもだ》えるのを見つめていた。そしてカフェの愉しかるべき雰囲気が完全に壊れる頃、必要な行動に出た。イジドール・ランツマンを自宅に招いたのだ。

一九四八年の夏、シェメッツ一家は新しい島の新しいアパートメントに二部屋の住居を借りていた。その建物には二十四世帯が入居していたが、どの家族もみな〝北極熊《ぐま》〟と自称する第一波の難民だった。母親は寝室のベッドに、妹はソファーに、ヘルツは床に寝床を作って寝ていた。今や三人ともたくましいアラスカのユダヤ人、ということはユートピアンであり、見るものすべてを不完全なものとみなしていた。物言いがきつく、喧嘩《けんか》っぱやい家族だが、とくにフレイドルがそうで、ちなみに彼女は十四歳ですでに身長が百七十センチ、体重が百十キロあった。フレイドルは部屋の戸口でためらっているイジドール・ランツマンをひと眼見るなり、その人間性を見抜いてしまった。彼女が故郷とみなすようになっていたアラスカの荒れ野と同じく、開墾不可能で近づけない人だと。それは一目惚《ぼ》れだった。

　のちにランツマンは父親に、フレイドル・シェメッツと会ったとき何を感じたのかと訊《き》いたことがあったが、たいした答えは引き出せなかった。フレイドルは不器量な娘ではなかった。エジプト人風の切れ長の眼、オリーヴ色の膚《はだ》、半ズボンにハイキングブーツ、ペンドルトンのウールのアウトドアシャツ。まさに〝健全なる精神は健全なる肉体に宿る〟という古いマカビー運動の精神がにじみ出ていた。フレイドルはイジドールが家族を失ったことと、収容所で悲惨な目にあったことに深く同情していた。だが、彼女は〝子供の北極熊〟の一人であり、不潔な環境と飢えと墓穴となる溝と殺人施設を免れた後ろめたさを、収容所の生還者に助言と情報を与え、励ましを装《よそお》った批判を加えることで処理していた。まるで〝破壊〟の息苦しい黒い棺布も、断固たる決意でおせっかい《キビッツァー》な助言者になることで取り除けられるとでもいうように。

　最初の夜、イジドールはヘルツと一緒に床の上に寝た。翌日にはフレイドルが服を買いに連れていき、お金は自分のバト・ミツヴァー（十二-三歳の少女を社会の成員として認めるユダヤ教の儀式）に備えた貯金から出した。同じアパートメントの最近夫を亡《な》くした人から部屋を間借りできるよう交渉した。髪がまた生えてくるようにと頭皮を玉葱《たまねぎ》でマッサージしてやった。血の疲れに効くからと仔牛のレバーを食べさせた。そうして五年間、あれこれこまめにうるさく世話を焼いたおかげで、イジドールは背筋を伸ばし、話をするときは相手の眼を見、英語を覚え、部分入れ歯を使うようになった。フレイドルは十八歳でイジドールと結婚し、《シトカ・トーグ紙》に就職して、婦人欄の記者から特集記事担当デスクにまで出世した。週に五日、六十時間から七十五時間働いたが、ランツマンが大学生のときに癌《がん》で死んだ。ヘルツ・シェメッツは法律事務所で有能さを見せつけた。アメリカ人弁護士たちは仲間内で寄付金を募り、事務所の上層部にしかるべき運動をして、ヘルツをシアトルの法律大学院へやってくれた。その後、ヘルツはFBIシトカ支局で初めてのユダヤ人局員となり、初めての支局長となって、フーヴァー長官の眼にとまり、この地域のスパイ防止活動に参画した。

イジドール・ランツマンは、チェスに明け暮れた。

晴れの日も雨の日も霧の日も、毎朝三キロ歩いて〈アインシュタイン・ホテル〉のカフェに出かけ、奥のアルミ製のテーブルに入口のほうを向いて坐《すわ》り、義兄からの贈り物である楓《かえで》材と桜材の小さなチェス盤を置く。夜にはハリバット海峡地区のアドラー通りにある、ランツマンが育った小さな家の裏庭で専用のベンチに坐り、常時十人近い対戦相手を抱えていた葉書での通信チェスの次の手を考えた。それから《チェス・レヴュー誌》に投稿したり、タルタコーワの伝記を書いたりした。伝記は完成しなかったが、放棄もされなかった。ドイツ政府からは年金をもらっていた。そして義兄の助けを借りて、息子に、自分が愛してやまないゲームを憎むことを教えたのだった。

「それはやめたほうがいい」と父親が言う。それでもランツマンは、力をこめすぎて白くなった指でポーンやナイトをある枡《ます》へ持っていく。するとそこに待っている運命はいつもランツマンを驚かせることになるのだ。どれほど前もって熟考しても、どれだけ一人で練習し、あるいは対戦をしても。「その駒《こま》をとるのか」

「とるよ」

「やめたほうがいい」

だが、ランツマンはみずから悲惨を頑固に求めるところがあった。そして予見できなかった暗澹《あんたん》たる運命が眼の前で現実化していくのを、恥の炎に焼かれながらも満足感を覚えつつ、見守った。父親はランツマンを叩きのめし、皮をはぎ、解体した。ポーチのたわんだ家のような顔で息子をじっと見つめながら。

そんなことを何年も続けたあとで、ランツマンは母親のタイプライターの前に坐り、父親に宛《あ》てて、自分はチェスが嫌いでたまらないからもうこれ以上やらせないでほしいと懇願する手紙を書いた。それを一週間、学校鞄《かばん》の中に入れたまま、さらに三回の無残な敗北に耐えたあと、市街中心部《ウンターシュタート》の郵便局から送った。その二日後、イジドール・ランツマンは、〈アインシュタイン・ホテル〉の二十一号室で、ネンブタールの過剰摂取で自殺した。

以来、ランツマンはいくつかの問題を抱えるようになった。おねしょをし、肥満し、口をきかなくなった。母親はメラメッドというとびきり優しくてとびきり無能なセラピストのもとに息子を通わせた。父親の死から二十三年たったとき、ランツマンはあの命取りの手紙を発見した。手紙は未完のタルタコーワ伝の草稿が入った箱に入っていた。父親は息子からの手紙を読むどころか開封すらしていなかった。配達員が配達した頃には、父親はもう死んでいたのだった。

6

ベルコを迎えにいくため車を走らせるあいだ、ランツマンは〈アインシュタイン・ホテル〉のカフェでかつて背中を丸めてチェスに没頭していた人たちの古い記憶につきまとわれていた。腕時計によれば、時刻は午前六時十五分。真っ暗な空と人影のない大通りと腹にもたれる不安を手がかりにするなら、真夜中だった。北極にごく近い、まもなく冬至を迎えるこの土地では、陽の出はまだ二時間ほど先になる。

ランツマンが転がしているのは一九七一年型シヴォレー・シェヴェル・スーパースポーツで、十年前に郷愁に唆《そそのか》されて楽観的な気分になり、大枚をはたいて購入した車だった。以来ずっと乗りつづけて、その隠れた欠点の数々もランツマン自身の欠点と区別できないほどだった。シェヴェルは七一年型からヘッドライトが四つから二つに変わった。今はその一つが切れているので、ランツマンは一つ眼巨人《キュクロープス》のように手探り状態で道路を走っていた。前方には〈黒海〉の高層ビル群が見えている。〈黒海〉はシトカ海峡の真ん中に浮かぶ人工島で、闇《やみ》の中では一本の太い輪縄で縛られた囚人たちのように見えていた。

〈黒海〉は、八〇年代なかばにロシアン・マフィアが開発した。ギャンブルが合法化された当初、地震が来たらひとたまりもないごみ埋立地に、熱狂的なカジノ建設ラッシュが起こった。タイム・シェア方式のリゾート・コンドミニアム、別荘、単身者向け住居などを建て、その中心に〈グランド・ヤルタ・カジノ〉を据えて目玉にした。だが、伝統的価値法が成立してギャンブルが非合法化されると、カジノの建物には〈コシャーマート〉や〈ウォルグリーンズ〉といったスーパーマーケットや〈ビッグ・マハー〉などのアウトレット店が入った。マフィアは数当て賭博《とばく》や呑《の》み屋やクラップス賭博などの非合法商売に戻った。遊び好きの金持ちやリゾート客が退場して、羽振りのいい犯罪者やロシア系移民が住みつき、そこに少数の超正統派ユダヤ教徒と、ボヘミアン的な遊びのセミプロたちが加わった。この最後のグループは、金銀モールの飾り付けがわずかに引っかかっているだけの裸の木のような、祝祭が果てたあとのすがれた雰囲気に惹《ひ》き寄せられてきたのだ。

シェメッツ一家はドニエプル・ビルの二十四階に住んでいた。ドニエプル・ビルはアルミ製のパイ皿のような丸い建物だ。住人の多くは、つぶれた円錐《えんすい》形のエッジカム山や、万博の名残のぎらぎら輝くパビリオン〈安全ピン〉、あるいはシトカ市街地の灯火が眺められる立地をありがたがらず、曲線を描くバルコニーに防風窓と開閉式鎧戸で壁をつくり、ひと部屋増やしていた。シェメッツ一家がこの改築をしたのは赤ん坊が生まれたときだった。つまり最初の赤ん坊がだ。今は二人の小さな子供が、もう使われないスキー板のようにバルコニーに寝かされていた。

ランツマンはシヴォレー・シェヴェルを大型ごみ収容器のうしろに駐《と》めた。今ではそこを自分の場所と一人決めしているが、駐車スペースなどに愛着を持つべきでないのはわかっていた。ぶらりと訪ねても朝食を食べさせてくれる家庭があり、その二十四階下に車を駐められる場所があるからといって、帰れるわが家があるというふうに考えるのはおかしかった。

六時三十分までまだ何分かある。シェメッツ家ではもうみんな起きているだろうが、階段であがることにした。ドニエプル・ビルの階段の吹き抜けは潮風とキャベツと冷たいセメントの匂《にお》いがした。二十四階に着くと、ご褒美に煙草《たばこ》を一本くわえて火をつけた。護符《メズーザ》がとりつけられている戸口のドア・マットの上に立った。片方の肺が咳《せき》をし、もう片方もそれに倣《なら》いかけたとき、エステル＝マルケが玄関のドアを開けた。手に家庭用妊娠検査スティックを持っている。先っぽのビーズ状のものは尿だろう。ランツマンに気づくと、何食わぬ顔でそれをバスローブのポケットにしまった。

「うちにチャイムがあるのは知ってるわよね」エステル＝マルケはもつれた髪のカーテンの隙間《すきま》から訊いてきた。煉瓦《れんが》色《いろ》の髪はいつもボブにしているが、それが似合うには毛が細すぎた。すぐに顔にかかってしまうからで、とくに減らず口を叩《たた》くときはその効果

いる
が薄れた。「ま、咳でもいいけど」

エステル＝マルケはドアを開けたまま中に戻った。ランツマンが踏んでいるココナツ繊維《コイアー》の玄関マットには〝失《う》せろ〟の文字があった。戸口をくぐるときには、二本の指で護符に触れ、その指におざなりなキスをした。ベルコのような敬虔《けいけん》なユダヤ教信者だけでなく、ランツマンのような不信心者も、そのようにする習わしだった。帽子とコートを玄関口の鹿《しか》の角のラックにかける。エステル＝マルケの白いコットンのバスローブに包まれた小ぶりな尻《しり》のあとについて廊下を歩き、キッチンに入った。キッチンは狭く、飛行機の調理室《ギャレー》のようなレイアウトで、レンジ台と流しがあり、その片側に冷蔵庫、反対側にキャビネットがあった。その向こうがスツールを二つ備えた朝食用のカウンターで、居間兼食堂と向き合っている。カウンターの上ではワッフル型が漫画の機関車もどきに蒸気を噴き出していた。ドリップ式のコーヒーメーカーは、五階分の階段をのぼって唾《つば》を飛ばしながら咳《せ》きこむ、年とったユダヤ人警官のようだった。

ランツマンは気に入っているほうのスツールのそばに立った。ツイードの上着のポケットから携帯用チェス・セットを出して開いた。コルチャック広場にある二十四時間営業のドラッグストアで買ったものだ。「おでぶさんはまだパジャマ姿かい」とランツマンは訊いた。

「今着替えてるところ」

「おでぶのベイビーは」

「パパのネクタイを選んでるところ」

「で、もう一人は。名前なんだっけ」その男の子は、苗字《みょうじ》のような名前をつける最近の流行のせいで、ファインゴルト・シェメッツといった。普段はゴールディーと呼ばれている。四年前にランツマンは、年寄りのユダヤ人がナイフでゴールディーの包皮を切るとき、細い脚を押さえている役目をおおせつかった。「お坊ちゃまはどこにいるのかな」問いに応《こた》えて、エステル゠マルケは居間兼食堂を顎《あご》で示した。

「まだ悪いのかい」

「今日は少しいいみたい」

ランツマンはカウンターを回りこみ、天板がガラスのダイニングテーブルのわきを通り、白い大きなL字型のソファーのところへ足を運んで、テレビが名付け子に何をしているか見てみた。「だーれだ?」

ゴールディーは北極熊の柄のパジャマを着ていた。こういうデザインは今、アラスカのユダヤ人の子供のあいだでレトロ趣味的な流行をみている。北極熊、雪、アラスカ先住民の氷の家《イグルー》などの北国のモチーフは、ランツマンの子供の頃にはあふれ返っていたが、それがまた復活しているのだった。ただし今回の流行には皮肉な意味合いがある。たとえば雪にしても、確かにこの地方に雪は降るが、温室ガスのせいで昔よりかなり量が減った。北極熊《ぐま》、イグルー、トナカイなどはもうまったくない。不足していないのは怒れる先住民、霧、雨、そしてユダヤ人たちの、半世紀にわたって抱きつづけてきた、何か間違っているという感覚。その感覚は強烈で、ユダヤ人の身体《からだ》に深く染《し》みこんでいるため、あらゆる機会に噴き出てくる。パジャマの柄を見てさえも。

「今日はやれるか、ゴールディー」とランツマンは声をかけた。手の甲を少年の額にあてる。いい具合にひんやりしていた。犬のキャラクター、シュナピッシュをプリントしたヤムルカ（ユダヤ人の男子が礼拝等のときにかぶる小さな帽子）がゆがんでいるのを直してやり、ヘアピンをきちんと留めてやった。「悪者と闘う用意はできてるか」

「できてるよ、伯父さん」

ランツマンが握手しようと手を差し出すと、ゴールディーはこちらを見もせずに乾いた手を滑りこませてきた。少年の茶褐色の瞳《ひとみ》を覆《おお》う涙の層に青い小さな光の長方形が映っていた。ランツマンは今やっている教育番組専門チャンネルの番組をゴールディーと一緒に見たことがある。シトカ特別区で放送される番組の九十パーセントはアメリカ本土で制作されたものをイディッシュ語に吹き替えているが、この番組もそうだった。この冒険物語の主役である二人の子供はユダヤ人の名前を持っているが、外見的には先住民の血が入っていそうだった。二人の親は登場しない。二人は水晶でできた竜の鱗《うろこ》を持っている。これには魔力があり、二人は願いをかけて、パステル色の〝竜の国〟へ旅する。その国の竜たちはそれぞれ異なる色と、異なる愚かしさを持っている。二人が魔法の竜の鱗を使う時間はますます長くなり、とうとうある日、虹色《にじいろ》をした〝愚かしさの国〟へ旅して、二度と戻ってこなくなる。二人の死体は安ホテルの夜勤支配人に発見されるが、どちらも後頭部に銃弾の穴が一つあいていた。いや、最後のところはもちろん冗談だが。

「今でも大きくなったら警官《ノズ》になりたいかい」とランツマンは訊《き》いた。「お父さんやマイヤー伯父さんみたいに」

「うん」ゴールディーは気のない声で答えた。「思ってるよ」

「よし偉いぞ」

二人はもう一度握手した。今の会話はランツマンにとって戸口の護符へのキスと似ていた。最初は冗談だが、最後にはすがりつくべき吊革《つりかわ》となる。

「チェスを始めたの？」ランツマンがキッチンに戻ると、エステル＝マルケが訊いてきた。

「とんでもない」ランツマンはスツールに腰かけ、携帯用のチェス盤に小さなポーンやナイトやキングをちまちまと並べ、自称エマヌエル・ラスカーが残した駒の配置を再現してみた。駒が小さすぎて区別がつきにくいので、よく見ようと眼の前に持ちあげてみるが、そのたびに取り落とす。

「そんな眼で見るのはやめてくれ」とランツマンはエステル＝マルケに言った。見られているというのはただの勘だった。「なんだか嫌な感じだ」

「何言ってるの」エステル＝マルケは事実、彼の手をじっと見ていた。「手が震えてるわよ」

「ひと晩中寝てないんだ」

「ふうん」

エステル＝マルケは学校に通ってソーシャルワーカーになり、ベルコと結婚する以前には、南シトカの不良少女として短いながらも傑出した経歴を刻んでいた。比較的軽微な犯罪行為を二つ犯し、あとで悔やんだ刺青《いれずみ》を腹に彫り、最後につきあった暴力男からの置き土産に顎にプレートが一枚入っている。ランツマンはベルコより前からエステル＝マルケと知り合いだった。まだハイスクールの生徒だった彼女を器物損壊の罪で逮捕したことがあったのだ。エステル＝マルケは負け犬の扱い方を、直観と習慣によって心得ている。みずからの若気の過《あやま》ちは責めるが、それと同じ態度をほかの人間に向けることはない。冷蔵庫からブルナー・アドラーをひと瓶出し、栓を抜いて、ランツマンによこした。ランツマンはビールの瓶を不眠の額の上で転がしてから、ぐびぐび飲んだ。

「それで」ランツマンの気分はたちまち回復した。「遅れてるのか」

エステル＝マルケはなかば芝居がかった罪悪感の表情を浮かべ、バスローブのポケットに手を入れたが、検査スティックをつかんだに違いない手を出すことはなかった。ランツマンは、エステル＝マルケが前にそういうことを話したことがあるので、彼女が気を使っているのを知っていた。自分たちの繁殖計画が成功を重ねていて、二人の元気な息子に恵まれていることを、ランツマンが羨《うらや》んでいるかもしれないと心配しているのだ。確かにランツマンは、ときどきひがみっぽく羨むことがあった。だが、エステル＝マルケからその話題を持ち出されると、いつも否定した。

「くそっ」ランツマンは毒づいた。ビショップが床を転がってホームバーのカウンターの下に入りこんだのだ。

「落としたのは黒？　白？」

「黒だ。ビショップ。くそ。どこへ行った」

エステル＝マルケはスパイスラックの前へ行き、バスローブのベルトを締め直しながら選択肢を吟味した。「それじゃあ」と言ってチョコレートチップの瓶をとり、蓋《ふた》を開け、手のひらにひと粒出して、ランツマンに差し出した。「これ使ったら」

ランツマンはホームバーのカウンターの下で四つん這《ば》いになった。落としたビショップを見つけ、チェス盤のh6の穴へ差しこむ。エステル＝マルケはチョコレートチップの瓶をスパイスラックに戻し、右手をポケットに入れたまま戻ってきた。

ランツマンはチョコレートチップを食べた。「ベルコは知ってるのか」

エステル＝マルケは首を振った。髪がかぶさって顔は見えない。「なんでもないんだもの」

「公式にはってことか」

相手は肩をすくめた。

「その検査の結果はまだ見てないのか」

「怖いから」

「何が怖いって？」キッチンの入口に現われたベルコが訊いた。右腋《わき》にピンカス・シェメッツ——不可避的にピンキーと呼ばれている——を抱えこんでいる。一ヵ月前にはこの子のためにケーキと蠟燭《ろうそく》でパーティを開いていた。ということは、シェメッツ家の三人目の子供は、かりにできていればだが、第二子から二十一ヵ月か二十二ヵ月の間をあけて生まれてくるわけだ、とランツマンは計算した。それは〝復帰〟の七ヵ月後。来《きた》るべき未知の世界に突入して七ヵ月後のことだ。またしても一人、歴史と宿命に囚《とら》われた小さな人が生まれてくる。救世主かもしれない人が、預言者エリヤの常軌を逸した夢の帆船の帆を膨らませるために——というのも、その道の専門家によれば、救世主は各世代に生まれてくるからだ。エステル＝マルケが検査スティックを持たずにポケットから手を出し、片眉《まゆ》をあげる南シトカ流の内緒事の合図をランツマンに送ってきた。

「俺が昨日何を食べたかを聞くのが怖いそうだ」ランツマンは話題を変えるために、上着のポケットからラスカーの『チェス三百番勝負』を出して、カウンターのチェス盤の隣に置いた。

「死んだヤク中絡《がら》みか？」ベルコがチェス盤を見て訊いた。

「エマヌエル・ラスカー」とランツマンは応じる。「ただし、これは宿泊者名簿にある名前にすぎない。身元のわかるものは何も持っていないんでね。今のところ何者かわかってないんだ」

「エマヌエル・ラスカーか。聞いたような名前だな」ベルコは横向きにした身体をキッチンに押しこんできた。スーツのズボンにシャツという姿。ズボンは赤紫がかった灰色のメリノ・ウール地でツータック、シャツは純白。喉元《のどもと》できっちり結んだネクタイは、濃紺の地にオレンジ色の染みのような模様が散り、やたらと長い。ズボンはだぶだぶで、濃紺のサスペンダーが太鼓腹の重荷も引きうけていた。シャツの下には四隅に房をつけた四角い布、祈禱衣《タリート》。きれいに手入れされた青いヤムルカを載せた頭には艶《つや》やかな黒い剛毛が密生しているが、顔には鬚《ひげ》がまったくない。ベルコの母方の男はみな鬚が生えないたちで、それはワタリガラスがすべてを創造した日（ただし太陽だけは盗んだ）からずっとそうだったに違いなかった（ワタリガラスはアラスカ先住民神話の創造主）。ベルコ・シエメッツはユダヤ教の戒律を守るが、それは自分なりの理由と流儀でそうしていた。彼は半牛人《ミノタウロス》であり、ユダヤ人世界は彼が幽閉されている迷宮だった。

ベルコがアドラー通りにあるランツマンの生家で暮らすようになったのは、一九八一年晩春のことだった。ベルコはのそのそ歩く大柄な少年で、トリンギット族の児童保護施設〈シー・モンスター・ハウス・オヴ・ザ・レイヴン・モイエティ〉ではジョニー・〝ユダヤ人〟・ベアの名で知られていた。ある日の午後やってきたベルコは、身長がアラスカ先住民の革のブーツをはいた状態で百七十二センチ。年齢《とし》は十三歳で、当時十八歳だったランツマンより二センチ低いだけだった。ランツマンも妹のナオミも、それまでこの少年のことを話に聞いたこともなかったが、その日の夜から、かつてランツマンたちの父親にとって不眠が無限にめぐるクラインの壺《つぼ》だった寝室に眠ることになった。

「おまえ、誰？」ランツマンは身体を横にして忍びこむように入ってきた少年にそう訊いた。少年は庇《ひさし》つきの帽子を両手でねじりながら、すべてを吸いこみそうな黒い眼であらゆるものを眺めていた。ランツマンたちの母親とヘルツ伯父は家の外の歩道に立って、怒鳴り合っていた。どうやら伯父は妹に、自分の息子を預かってもらいたいという意向を伝えていなかったようだ。

「俺はジョニー・ベア」とベルコは答えた。「シェメッツ・コレクションの一部だよ」

ヘルツ・シェメッツは、今でもアラスカ州南部の先住民トリンギット族の美術工芸に関するよく知られた専門家だった。一時期はその趣味のために、同時代のユダヤ人の中では誰よりも奥深く先住民の土地に入っていったほどだった。その先住民の文化と土地についての知識が、六〇年代にFBIの局員として対破壊者諜報活動《コインテルプロ》を行なったときに武器となった。だが、ヘルツにとって先住民文化の研究は諜報《ちょうほう》活動の武器にすぎなかったわけではない。彼は先住民の生き方に強く惹《ひ》かれていた。鉄鉤《かぎ》を眼に引っかけてアザラシを獲る技や、熊を殺して解体する方法を覚え、ロウソクウオの脂《あぶら》の匂《にお》いを鶏の脂《シュモルツ》に劣らず好むようになった。そしてミス・ローリー・ジョー・ベア・オヴ・フーナに子供を産ませたのだ。ローリーがいわゆる〝ユダヤ教礼拝所《シナゴーグ》暴動事件〟で死んだあと、息子のジョニー・ベアは、ほとんど面識もなかった父親に助けを求めた。ユダヤ人との混血であるせいで、施設ではいじめられたからだ。これは、チェスで言えば〝ツヴィッシェンツーク〟、すなわち、普通予想されるのとは違う指し方だった。ヘルツ・シェメッツは不意打ちを食らった。

「どうする気だ。あの子を追い返すつもりか」とヘルツはランツマンたちの母親に向かって叫んだ。「向こうはあの子にとって地獄なんだ。母親は死んだ。ユダヤ人の暴徒に殺されたんだ」

あるユダヤ人グループが特別区の範囲内かどうかに争いのある土地に建てた礼拝所が放火され、それをきっかけにユダヤ人が暴動を起こしたとき、十一人のアラスカ先住民が殺された。シトカ特別区の創案者ハロルド・イッキーズが作成した地図には、境界線が点線で描かれたあいまいな地域がそこここにあった。大半は一年中氷か水に覆われている僻地《へきち》の人の住めない場所だったから問題はなかったが、グレーゾーンの中には、平坦《へいたん》で気候的にも理想的な土地があり、ユダヤ人には魅力的だった。人口の多いユダヤ人は居住可能な土地を求めていた。七〇年代に入ると、ハシディズム派ユダヤ教の少数分派を中心に、それらの土地を占拠する動きが出てきた。

かくしてリシアンスキーを本拠地とする教派の分派のそのまた分派がセント・シリルに礼拝堂を建設したとき、ついに先住民の怒りが爆発した。デモと集会が盛んに行なわれ、双方に弁護士たちがついた。連邦議会からも、アラスカに移民したユダヤ人の傲慢《ごうまん》さがまたもや秩序と平和を乱したと、不満の声が洩《も》れはじめた。そして献堂式の二日前、何者かが――犯行声明を出した者も、逮捕された者もいなかった――窓から二個の火炎瓶を投げこみ、礼拝堂を焼いてコンクリートの土台だけにしたのだった。礼拝堂を建設した分派の信徒やその支持者たちがセント・シリルに押し寄せ、蟹《かに》漁の罠《わな》を壊したり、〈アラスカ先住民友愛会〉の建物の窓ガラスを割ったり、筒型の手持ち花火や爆竹で派手に騒いだりした。怒れるユダヤ人たちを乗せたトラックがハンドルを切り損ねて、小さなスーパーマーケットに突っこみ、レジ係として働いていたローリー・ジョーが即死した。〝シナゴーグ暴動事件〟は、トリンギット族とユダヤ人の痛ましい不名誉な紛争の歴史において、今でも最悪の事件として記憶されている。

「それは私のせい？　私の責任？」ランツマンの母親は叫び返した。「インディアンをうちに住まわせるなんて、冗談じゃない！」

子供たちはしばらくのあいだそのやりとりを聞いていた。ジョニー・ベアは玄関口に立ち、スニーカーでダッフルバッグを蹴《け》っていた。

「おまえ、イディッシュ語がわからなくてよかったよ」とランツマンはジョニー・ベアに英語で言った。

「そんなの関係ない」とジョニー・ベアは応じた。「あんなの昔っからしょっちゅう聞いてるから」

話し合いがまとまると――と言っても、ランツマンの母親が怒鳴りだす前から事実上話はまとまっていたのだが――ヘルツ伯父は家に入ってきて息子に別れを告げた。ジョニー・ベアは父親より五センチ背が高かった。ヘルツ伯父がジョニー・ベアをすばやく抱きしめると、椅子《いす》がソファーにまとわりついているように見えた。それからヘルツ伯父は身体を離した。

「悪いな、ジョン」ヘルツ伯父は息子の両耳をしっかりつかんで、電文でも読むように顔をしげしげと見つめた。「わかってくれ。これから俺を見るときは、俺がほんとに申し訳ないと思ってると、そういうふうに見てくれよ」

「あんたと一緒に暮らしたいんだ」とジョニー・ベアは抑揚のない声で言った。

「そいつはもう聞いた」邪険に突きはなす言い方だったが――ランツマンにとってひど

く衝撃的なことに――ヘルツ伯父は眼に涙をきらりと光らせた。「俺は有名なろくでなしなんだ、ジョン。俺と一緒に暮らすくらいなら浮浪児になったほうがましだ」妹の家の居間をぐるりと見回した。家具にかかったビニールのカバー、鉄条網のような美術品、抽象的なデザインの多枝燭台《メノラー》。「ここで暮らすと、いったいおまえはどうなっちまうんだろうな」

「ユダヤ人になるんだろ」とジョニー・ベアは言った。誇っているのか、身の破滅を予告しているのかはよくわからなかった。「あんたみたいにさ」

「それはありそうにないな」とヘルツ伯父は言った。「見てみたいけど。じゃあな、ジョン」

伯父は出ていく前にナオミの頭をぽんぽんと叩《たた》き、ランツマンの前で足をとめて握手を求めた。「おまえの従弟《いとこ》を助けてやってくれ、マイヤー。あいつには助けが要るんだ」

「自分で自分の面倒は見られそうなやつだけどな」

「そうだろう」とヘルツ伯父は言った。「少なくともそこは俺譲りなんだ」

こうしてベルコ・シェメッツは、自分で服装を決める年頃になると、ユダヤ人のようにヤムルカをかぶり、祈禱衣《タリート》を着けた。ユダヤ人のように考え、ユダヤ人のように信仰し、ユダヤ人のように妻子を愛して社会に奉仕した。空理空論に走らず経験を重んじ、ユダヤ教の掟《おきて》に従った清浄なものだけを食べ、割礼の儀式を尊重した（ベルコ自身、幼児の頃に割礼を受けていた。ヘルツ伯父が母子を棄てていく前にそれを済ませておいたのだ)。だが、外見的には、ベルコは生粋のトリンギット族だった。モンゴロイドの眼、濃い黒髪、基本的には喜びの表情向けだが憂《うれ》いを浮かべる訓練もしてある大柄な顔。母方のベア家は体格のいい家系で、今のベルコは身長二メートル、体重が百十キロある。頭も、足も、腹も、手も大きい。すべてが大きい中で、今腕に抱いている赤ん坊だけは小さく、磁石が吸いつけた鑢屑《やすりくず》のように艶のある黒髪をぴんぴん立て、はにかんだ微笑《ほほえ》みをランツマンに向けている。まったく可愛《かわい》い赤ん坊だとランツマンも思うが、その一方で、生後一年たった今でも、この子はランツマンの胸の柔らかい部分に鋭く突き刺さる。ピンキーはジャンゴ・ランツマンが生まれるはずだった日のちょうど二年後に生まれたのだ。誕生日は九月二十二日。

「エマヌエル・ラスカーというのは有名なチェス・プレーヤーの名前なんだ」とランツマンはベルコに説明した。ベルコは妻からコーヒーのマグカップを受けとり、湯気に眉をひそめながら口に運ぶ。「ユダヤ系ドイツ人で、十代と二十代の頃はドイツに住んでいた」ランツマンは午前五時から六時まで、人のいない殺風景な刑事部屋でコンピューターの前に坐《すわ》り、一時間ほど情報を集めていた。「数学者でもあった。カパブランカに世界チャンピオンの座を奪われた。当時はみんなカパブランカにやられたんだ。この本はホテルの部屋にあった。チェス盤はこのとおりに駒《こま》が並んでいた」

ベルコは瞼《まぶた》が厚ぼったく、普段は瞑想《めいそう》しているか酩酊《めいてい》しているかのどちらかに見えるが、眼を細めて睨《にら》みつけるときには瞼の隙間《すきま》から強烈な光線が出るかのようで、そのすべてを疑う冷たい視線にさらされると、無実の人間も自分のアリバイに自信を失ってしまうほどだ。

「それであんたは」ベルコはランツマンが手にしているビールに意味ありげな視線を投げた。「その駒の並び方から何を感じたんだ」瞼の隙間がより狭くなり、光線がより強くなった。「殺人犯の名前が暗号で示されてるとでもいうのか」

「アトランティス大陸の失われた文字でね」とランツマンは応じた。

「ははあ」

「ラスカーはチェスをやる男だった。そして聖句箱の紐《ひも》で腕を縛って薬物を注射していた。その男を誰かが周到な用意をして殺した。でも、どうかな。チェスに意味はないかもしれない。とりあえず俺には盤面からは何も読みとれない。その本を全部見てみたが、どの対戦の再現なのかはわからなかった。かりに再現だったとしてだがね。棋譜《きふ》というやつは見るだけで頭痛がする。これは呪《のろ》いだな」

ランツマンの声は気分を反映して心細く虚《うつ》ろに響いたが、それはまったく彼の意図に反していた。ベルコはピンキーの頭ごしに妻を見やり、本気でランツマンの心配をすべきかどうか確かめようとした。

「なあ、マイヤー。ちょっとそのビールを置けよ」ベルコは警官らしい口調を避けようとしたようだが成功しなかった。「そしたらこの可愛い赤ん坊をだっこさせてやるぜ。どうだ。見てみろ。このぽちゃぽちゃした腿《もも》。ちょっとつまんでみたらいい。さあビールを置けって。な？　ちょっとだっこしてみろ」

「可愛い赤ん坊だ」とランツマンは言った。ビールをまた三センチほど減らしてから瓶を置き、何も言わずに赤ん坊を抱いた。匂いを嗅《か》ぐと、例によって心に痛みが走った。ピンキーはヨーグルトと洗濯石鹸《せっけん》の匂いがした。父親のアフターシェーブローションの匂いもかすかに。ランツマンはキッチンの入口まで行って、大きく息を吸いこまないようにしながら、エステル＝マルケがワッフルを型から剝《は》がすのを見ていた。使っているのはウェスティングハウス社製の型で、木の葉の形をしたベークライトの取っ手がついていて、一度に四つのワッフルが焼けた。

「バターミルクを使ってるのか」ベルコはチェス盤を眺め、鼻の下の分厚い肉を人差し指で撫《な》でながら訊《き》いた。

「ほかに何を使うっていうの」とエステル＝マルケが訊く。

「本物か。それともミルクに酢を垂らしたやつか」

「じつは両方つくってみたのよ、ベルコ」エステル＝マルケはランツマンにワッフルを載せた皿を差し出し、赤ん坊と交換した。ランツマンは食べる気がしなかったが、交換はありがたかった。「違いがわからなかったでしょ」

「あいつはチェスもできない」とランツマン。「でも見てみろ。一生懸命できるふりをしている」

「うるせえ、マイヤー」とベルコは返した。「しかしまあ、まじめな話、どれが戦艦だったかな」

ベルコを引きとったとき、ランツマン一族のチェス愛好の火はすでに絶えるか、エネルギーがほかの事柄に向け換えられるかしていた。イジドール・ランツマンはその六年前に死に、ヘルツ・シェメッツはもっと大きなチェス盤に陽動攻撃の技術を向けていた。つまりベルコにチェスを教えられる者はランツマン以外にいなかったのだが、ランツマンはそれを周到に避けてきた。

「バターは？」とエステル＝マルケは訊きながら、ワッフル型に新たな生地を流しこんだ。母親におんぶされたピンキーは、求められもしないのに助言をした。

「いや、いい」

「シロップは？」

「けっこう」

「ほんとはワッフルなんか食いたくないんだろ」とベルコが言った。今はもう盤面を検討するふりをやめて、ジークベルト・タラッシュの著書をちゃんと理解できるかのような顔で眺めていた。

「正直言ってそのとおり」とランツマンは答えた。「でも食ったほうがよさそうだ」

エステル＝マルケはワッフル型の蓋《ふた》をそっと閉めた。「私、妊娠したの」と穏やかに言った。

「なんだって？」ベルコは整然とした驚異に満ちた本から顔をあげた。「くそっ《ファック》！」その言葉は英語で口にされた。英語は毒づくときや乱暴な話し方をするときの、ベルコのお気に入りの言語だ。ベルコは感情が爆発しそうになるときに口の中に現われる想像上のチューインガムを嚙《か》みはじめた。「そりゃすごいな、エス。まったくすごいよ。なあ。だって、このくそアパートメントには赤ん坊の入ってないくそ机の抽斗《ひきだし》がまだ一つあるからな！」

それからベルコは『チェス三百番勝負』を頭の上に持ちあげ、朝食用のカウンターごしに居間兼食堂へ放り投げるべくゆっくりと構えた。そこに現われているのは、ベルコの中のシェメッツ家の血だ。怒りに任せて物を投げることではランツマンの母親も猛者《もさ》だった。ヘルツ伯父は冷ややかにふてぶてしい男で、芝居がかった振る舞いはめったにしないが、やるときは派手だった。

「それは証拠物件だぞ」とランツマンは注意した。が、ベルコがさらに高く掲げるのでもう一度言った。「証拠物件だと言ってるだろう！」ベルコは投げた。本はページをばたつかせながら宙を飛び、金属性の音を立てた。たぶんダイニングテーブルのガラスの天板に載っていた銀のスパイスボックスに当たったのだろう。赤ん坊が下唇を突き出し、さらに突き出して、ためらいながら母親と父親を見比べた。それから、もう絶望的だというように泣きじゃくりはじめた。

「パパ《タータ》が何したの？」エステル＝マルケは赤ん坊の頰にキスをしながら訊き、キッチンを出ていったベルコが空中に残したように思える黒い縁取りのある大きな穴を睨みつけた。「悪者刑事スーパー・スパームがくだらない古ぼけた本をポイしたの？」

「美《う》味《ま》いワッフルだ」ランツマンはそうつぶやいて手つかずの皿を置いた。それから声をあげる。「おい、ベルコ、ええと、俺は下に降りて、車で待ってるよ」それからエステル＝マルケの頰に唇をぐっと押しつけて言った。「マイヤーおじさんがバイバイと言ってたと坊やに伝えといてくれ」

エレベーター・ホールへ出ていった。エレベーター・シャフトの中で風が口笛を吹いていた。シェメッツ家の隣人のフリートが、黒いロングコート姿で出てきた。オールバックにした白い髪の裾《すそ》が、襟のところでカールしている。フリートはオペラ歌手で、ベルコとエステル＝マルケは彼から見下されていると感じていた。フリートが、私はきみらより格上だと言ったからだ。シトカ特別区のユダヤ人は隣人に対してそのような見方をつねに維持するよう努めているが、とりわけ先住民とアメリカ本国のユダヤ人に対してそうだった。ランツマンはフリートと一緒にエレベーターに乗った。フリートは最近死体を発見したかねと訊いてきた。ランツマンは最近過去の作曲家を草葉の陰で嘆かせたかねという問いを返し、そのあとはほとんど口をきかなかった。ランツマンは駐車場に出て車に乗りこんだ。エンジンをかけ、そこから送られてくる熱の中で坐っていた。シャツの襟に残ったピンキーの匂《にお》いと、手に残ったゴールディーの手の冷たく乾いた感触。ランツマンの何も感じずに今日一日を乗りきる能力に対して、無益な後悔が執拗《しつよう》な攻撃をしかけてきた。ランツマンは懸命にゴールキーパーの役割をつとめた。車を降りて、雨の中で煙草《たばこ》を吸った。眼を北のマリーナの向こうへやり、風に吹きさらされている人工島の、曲りくねったアルミ製のパイプ状構造物を眺める。またしてもランツマンは万国博覧会に鋭い郷愁を覚えた。〈安全ピン〉（正式には〈約束された聖域の塔《プロミス・オヴ・サンクチュアリー・タワー》〉だが、誰もそうは呼ばない）をつくったユダヤ人のすばらしい土木技術と、〈安全ピン〉の頂上のレストランへあがるエレベーターのチケットをちぎってくれた制服姿のおねえさんの胸の谷間に。それからまた車に戻った。数分後、ベルコが建物から出てきて、大太鼓のようにシヴォレー・シェヴェルに転がりこんできた。本と携帯用チェス・セットを片手に持ち、左膝《ひざ》の上に載せた。

「さっきは悪かったな」とベルコは言った。「とんでもない野郎だと思ったろう」

「たいしたことじゃないさ」

「もっと広い家を見つけないと」

「そうだな」

「どこかにな」

「ああ」

「これは神の祝福だ」

「そのとおり。おめでとう《マーゼル・トーヴ》、ベルコ」

ランツマンの祝いの言葉は心からのものだったが、皮肉な意味合いを消すことはできず、本心ではないような響きがどうしてもこもってしまっていた。ランツマンとベルコはしばらくのあいだ坐ったまま、今の祝いの言葉が凝固するのを待った。

「エステル＝マルケは今すごく疲れてて、ちょうど計算の合う時期に俺とセックスしたかどうか思い出せないと言ってる」ベルコは深いため息をついた。

「してなかったりして」

「それじゃ奇跡ってことだな。肉屋でしゃべりだした鶏《にわとり》みたいな」

「そういうことだ」

「何かが起きる徴《サイン》かね」

「そういう見方もあるだろう」

「〝サイン〟と言えば」ベルコはシトカ市中央図書館から紛失して久しい『チェス三百

番勝負』の裏表紙を開き、貼《は》りつけられたポケットから貸出カードを抜きとった。カードのうしろには一枚の写真があった。七・五センチ×十二・五センチ、光沢仕上げのカラー写真で、白い縁取りがある。写っているのはまさに〝看板《サイン》〟だった。長方形の黒いプラスチック板に白いアルファベット文字が三つ印刷され、その下の白い矢印が左を指している。看板は二本の細い鎖で、正方形の汚れた白い吸音タイルから吊《つ》りさがっていた。

「PIE《パイ》」とランツマンは文字を読んだ。

「俺がさっき元気いっぱいにこの証拠物件を調べたとき、落ちたようだ」とベルコは言った。「貸出カードのポケットの中で引っかかってたんだろう。そうでなかったら、あんたの鋭い刑事《デカ》の眼が見逃すはずはない。どうだ、これが何かわかるか」

「ああ」とランツマンは答えた。「わかる」

ヤコヴィー地区の北に空港があり、ユダヤ人が特別区内の森林地帯へ出かけるのに利用しているが、そのターミナルビルの端っこに、アメリカ風のパイだけを出す慎ましい店がある。店と言っても、窓口が一つあり、それがぴかぴか光るレンジを五台備えた厨《ちゅう》房《ぼう》とつながっているだけだ。窓のわきにはホワイトボードが吊るしてあり、そこへ毎日経営者――カナダはクロンダイク出身の無愛想な夫婦とその謎《なぞ》めいた娘――がブラックベリー、アップルルバーブ、ピーチ、バナナクリームなどと、その日のメニューを書いている。パイは美味い。ちょっとした名物と言ってもいいほどだ。ヤコヴィー空港を利用したことのある者なら誰でも知っているし、ジュノーやフェアバンクスやそれよりもっと遠いところから、飛行機で食べにくる人たちもいるという噂《うわさ》すらあった。ランツマンの死んだ妹は、とくにココナツ・クリームパイのファンだった。

「さてと、それで」とベルコが訊いた。「どう思うんだ」

「俺にはわかってた」とランツマンは言った。「部屋に入ってラスカーの死体を見た瞬間、こう思ったんだ。おいランツマン、この事件を解く鍵《かぎ》はパイだぞ、と」

「要するに意味なんかないと」

「意味のないものなんてない」ランツマンはそう言ってすぐ、喉《のど》が詰まる感覚に襲われた。喉が膨れあがり、眼に涙がしみた。睡眠不足のせい、あるいは愛用のショットグラスと長い時間を過ごしすぎたせいかもしれない。あるいは、妹の姿がふいに浮かんできたせいかもしれなかった。なぜか名前のないパイ屋の窓口がある壁にもたれ、紙皿に載せたココナツ・クリームパイをプラスチックのフォークでがつがつ食べる妹。眼を閉じ、白い筋をつけた唇をきゅっと合わせ、クリームとパイ皮とカスタードを頬ばって、動物的な深い喜びを味わっているナオミ。「なあ、ベルコ。なんだか今すぐあのパイを食いたくなってきたよ」

「俺も同じことを考えてたとこだ」とベルコが言った。

7

二十七年前から、シトカ特別区警察中央方面署は、ロシア領時代の古い孤児院のうしろの空き地に据えた十一棟のユニット・ハウスに仮住まいをしてきた。噂によれば、このユニット・ハウスは最初、ルイジアナ州スライデルのキリスト教神学校の校舎として使われたという。窓がなく、天井が低く、壁が薄く、窮屈だった。殺人課のユニットには受付、二人の警部のそれぞれの部屋、便器と洗面台とシャワー室からなるバスルーム、大部屋（四つの仕切りにデスクが四つ、椅子《いす》が四つ、電話が四台、黒板が一つ、横に並んだ郵便受け）、取り調べ室、そして休憩室がある。休憩室にはコーヒーメーカーと小型の冷蔵庫があった。休憩室はまた長年にわたって菌類の胞子が繁栄を続けてきた場所であり、いつの頃からか壁にキノコが生えて、二人掛けのソファーかと思うほどに成長してきた。だが、今、ランツマンとベルコが殺人課の駐車場に車を乗り入れたとき、フィリピン人の用務員二人が怪物じみたサルノコシカケを運び出していった。

「誰かが引っ越してきたな」とベルコが言った。

サルノコシカケはかなり以前から処分されると決まっていたが、いよいよ運び出されていくのを見ると、ランツマンにはショックだった。そのショックがあまりに大きかったので、階段のわきに立っている女性に気づくのが一、二秒遅れた。女性は派手な緑色の人造毛皮がフードを縁取る明るいオレンジ色のパーカを着て、黒い傘を手にしていた。右腕をあげ、人差し指でごみ容器のほうを指している様は、エデンの園からアダムとイヴを追放する天使ミカエルのようだ。コルク抜きのように螺旋《らせん》形に巻かれた赤いほつれ毛が顔にかかっている。これは彼女にとって悩みの種だった。犯行現場でしゃがんで床の怪しい染《し》みを観察したり、ルーペで写真を調べたりするとき、苛立《いらだ》ちをこめて鋭く息を吹き、そのほつれ毛をわきへのけなければならないからだ。

彼女はシヴォレー・シェヴェルのエンジンを切ったランツマンを睨《にら》みつけてきた。そして楽園追放を宣告している手をおろした。この距離からだと、女は濃いコーヒーを三、四杯飲みすぎた上に、朝から誰かに腹立たしい思いを二度ばかりさせられたといったふうに見えた。ランツマンは彼女と十二年間結婚生活を送り、職場も五年間同じ殺人課だった。ランツマンは彼女の気分に敏感だった。

「これを知らなかったと言うんじゃないだろうな」とランツマンはベルコに訊《き》いた。

「今だってどういうことかわかってないぜ」とベルコは答えた。「眼をつぶってまた開けたら、幻だったとわかる。そうならいいと思うよ」

ランツマンは試してみた。「だめだ」と残念そうに言って車を降りた。「ちょっと待ってくれ」

「なに、いくらでも待つから」

ランツマンが砂利の敷地を横切るのに十秒かかった。ビーナは最初の三秒間、嬉《うれ》しそうな顔をしたが、次の二秒間は美しい憂《うれ》い顔になった。最後の五秒間は、お望みならば一戦交えるという構えをとった。

「何やってるんだ」ランツマンは彼女の期待を裏切るまいと口荒く言った。

「別れて二ヵ月もたてば、前妻が何をしてるかなんてわからなくなるものよ」とビーナは言った。

離婚が成立したあと、ビーナは一年間アメリカ本土へ行き、女性警察官の幹部養成プログラムに参加した。そして帰ってくると、ヤコヴィー署の殺人課課長という高い職を拝命した。そこで手がけたのは、たとえばチチャゴフ島北西部のヴェニスにある下水路で失業した鮭《さけ》漁の漁船員たちが低体温症で死亡した事件で、ビーナは刺激と達成感を味わった。ランツマンは妹の葬儀以来ビーナに会っていなかったが、こちらを見る眼の憐《あわ》れみの色からすると、自分はあれからさらに坂を転げ落ちたらしかった。

「私に会えて嬉しくないの、マイヤー」とビーナは訊いた。「まだこのパーカのことを何も言ってくれないようだけど」

「ずいぶん派手なオレンジ色だな」

「向こうでは目立つ服装をしなくちゃいけないのよ。とくに森の中では、熊《くま》と間違えられて撃たれるから」

「きみに似合う色だ」ランツマンはどうにか言葉を舌に載せた。「瞳《ひとみ》の色とマッチするし」

ビーナはその言葉を、あらかじめ激しく振ってあるとも疑われる缶入り炭酸飲料水のように受けとった。「どうやらびっくりしてるみたいね」

「びっくりしたよ」

「フェルゼンフェルトのことは聞いてないの」

「フェルゼンフェルトか。何か聞いたかな」ランツマンは、前の夜にシュプリンガーが同じようなことを訊いたのを思い出して、ようやく〝病院殺人鬼〟ポドルスキーを逮捕した男にふさわしい鋭い洞察力を回復した。「ああ、辞めたのか」

「おとといの夜バッジを返したそうよ。そしてゆうべ、オーストラリアのメルボルンに向けて出発した。奥さんのお姉さんが向こうに住んでるらしいわね」

「すると俺はきみの部下になるわけか」ビーナが自分から希望したはずがないのはわかっていた。もちろん〝復帰〟までの二ヵ月間だけにせよ、出世ではある。しかし承諾したというのが信じられなかった。普通なら耐えられないと思うだろう。「ありえない」

「今日びはどんなこともありうるのよ」とビーナは言った。「新聞にそう書いてあったわ」

そこでふいにビーナの顔から皺《しわ》が消えた。ベルコが近づいてきたからだ。ランツマンは、自分のそばにいることが今でもビーナにひどく緊張を強いるのだと知った。

「あなたもいたの！」とビーナは言った。

ランツマンが振り返ると、ベルコは背中のすぐうしろに立っていた。ベルコは音もなくすっと移動する能力にたけている。本人は当然予想されるとおり、トリンギット族の血のおかげだと言う。ランツマンは、ベルコのかんじきをはいたような大足が地面をたわませながらも表面張力で浮かび、アメンボのようにすばやく滑ると考えるのが好きだ。

「これは、これは、これは」ベルコは愛想よく言った。かつてランツマンが初めてビーナを家に連れてきたとき、ビーナとベルコは二人で調子を合わせてランツマンをからかえる視点を獲得したようだった。おかげでランツマンは漫画の最後のコマで、黒い百合《ゆり》の花のような爆発した葉巻をくわえて悔しがっている男のような役回りになったものだ。

「お帰り、ランツマン警部」ベルコは妙に内気な感じで言った。

「警視よ」とビーナは返した。「苗字《みょうじ》は元に戻って、ゲルプフィッシュ」

ベルコは今配られた事実の手札をよく吟味した。「悪い、間違えた。それで、ヤコヴィーはどうだった」

「まあまあだった」

「面白い街かい」

「よくは知らない」

「良き出会いはあったのかな」

ビーナはかぶりを振った。ぽっと赤くなり、赤くなったことを自覚してさらに赤くなった。「仕事ひと筋だったもの。ほら、私のことだから」

ピンク色がかった大きなキノコが建物の向こうに消えるのを見て、ランツマンはあることに思いあたった。

「もうすぐ埋葬共済組合がやってくるな」埋葬共済組合とは、伝統的なユダヤ人社会で人が死んだときに埋葬までのあいだ遺体を管理する集団だが、今ランツマンがそう呼んだのは、アメリカ合衆国内務省から派遣されてくる移行委員会、すなわちシトカ特別区のアラスカ州への〝復帰〟に先立って、特別区を歴史の墓場に埋葬する作業を監督する人たちのことだった。一年ちょっと前から、彼らは特別区行政組織のあらゆる部署にやってきて、官僚主義的なお題目《カディシュ》を唱えながら、現況を調査したり勧告を行なったりしている。こうして統治の基礎固めをすることで、今後何かまずいことが起きた場合に責任をユダヤ人にかぶせられるようにしているのだろう、とランツマンは推測していた。

「スペイドという人が、月曜日か、遅くとも火曜日にやってくるわ」

「フェルゼンフェルトのやつ」ランツマンは声に嫌悪《けんお》をにじませた。埋葬共済組合の張り番《ショメール》がやってくる三日前にこそこそ逃げ出すなど、いかにも彼らしい。「あの男に暗黒の一年を」

さらに二人の用務員が建物から署内にあったエロ本の蔵書と、ボール紙でできたアメリカ合衆国大統領の等身大の像を運び出してきた。大統領は割れた顎《あご》とゴルフ灼《や》けした膚《はだ》を持ち、尊大な雰囲気を漂わせ、軽装で、フットボールのクォーターバックのようにボールを投げようとするポーズをとっていた。刑事たちはボール紙の大統領にレースのパンティをはかせ、トイレットペーパーを丸めて濡《ぬ》らしたものをぶつけて遊んだものだった。

「いよいよこの中央方面署も死に装束のサイズをはかる段階に来たわけだ」ベルコは職員たちを見送りながら言った。

「あなたは全然わかってないわね」とビーナは言った。その暗い声音から、すぐにランツマンは、彼女が口から出かかった悪い知らせを抑えこんだのだと悟った。それからビーナは言った。「さあ、中へ入った入った」それはランツマンが今までついてきた上司たちと同じ命令口調だった。ついさっきは、ほんのふた月にせよ元の妻の部下になるなんて信じられないと思ったが、今ビーナが建物のほうへ首を倒して命令を発した姿を見ると、かりに今でもまだ彼女になにがしかの感情を持っているとしても、その感情は組織の灰色の指揮系統の中で解消されてしまうかもしれないと期待できた。

亡命者が発《た》ったあとはたいていそうだが、オフィスはフェルゼンフェルトがいたときのままだった。写真、半分枯れかけた鉢植え、ファイルキャビネットの上の瓶入り発泡ミネラルウォーターと徳用サイズの制酸剤。

「坐《すわ》って」とビーナは言い、自分もゴムマットを敷いたスチール机の向こうへ回り、無造作に椅子に腰をおろした。オレンジ色のパーカを脱ぐと、現われたのはくすんだ褐色のウールのパンツスーツに白いシャツで、ランツマンが考えているビーナのファッション・センスにずっと近かった。ランツマンは彼女の大きな胸に眼をやるまいとしたが、うまくいかなかった。シャツを張りつめさせているその胸のすべての黒子《ほくろ》とそばかすは、プラネタリウムの星座のように、想像力のドームに今でも一つ残らず正確に映し出すことができる。ランツマンとベルコはドアのフックにコートをかけたが、帽子は手に持ったままでいた。それぞれ椅子に坐った。フェルゼンフェルトの妻や子供たちの写真は、この前ランツマンが見たときと同じように家族の温かみを感じさせた。鮭《さけ》やヒラメは今でもフェルゼンフェルトに釣りあげられたときのように驚きの眼を見張っていた。

「それじゃ聞いて」とビーナは切り出した。彼女は猫に鈴をつけ、角をつかんで雄牛を抑えこめる女性だった。「これがけっこう気まずい状況なのは言うまでもないわね。前は私もあなたたちと同じ刑事部屋にいたし、一人は私のもとの夫で、もう一人は親類。えいくそ《シット》」最後の罵《のの》り言葉と次の言葉は完璧《かんぺき》な英語で言った。「言いたいことは《ノー・ホワット・》わかるわよね《アイム・セイング》」

ビーナは返事を待つように間をおいた。ランツマンはベルコのほうを向いた。「親類ってのはおまえだよな」

ビーナは今のはとくに面白くもないとの感想を伝えるために微笑《ほほえ》んだ。うしろに手を伸ばして、ファイルキャビネットの上から水色の表紙のファイルホルダーをひと束とった。それぞれ厚さが一センチちょっとあるホルダーで、どれにも咳止《せきど》めシロップのような赤い色の合成樹脂のシールが貼《は》ってある。それを見るや、ランツマンは気分が沈んだ。ちょうど鏡に映った自分の顔を偶然見てしまったときのように。

「これが見える？」

「ああ、ゲルプフィッシュ警視」ベルコが妙に誠意のこもらない声音で答えた。「見えるよ」

「なんだかわかる？」

「うちの未解決事件ファイルのはずはないと思うね」とランツマンは言った。「そんなにたくさんあるからには」

「ヤコヴィーのいいところを一つ知りたい？」とビーナが言う。

二人とも上司の土産話を待った。

「雨よ。年間降水量が五千ミリ。雨で減らず口をききたがる癖が洗い流されてしまうの。

ユダヤ人でも」

「そりゃたいへんな量だ」とベルコが言った。

「じゃあ話を聞いて。ようく聞いて。これからものすごく嫌なことを言うから。あと二ヵ月したら、バーゲンのスーツを着たアメリカ合衆国連邦執行官がこのみじめなユニット・ハウスにどやどや乗りこんできて、殺人課A班のごったごたのファイルキャビネットの鍵《かぎ》を頂戴《ちょうだい》したいと日曜学校で教わった口のきき方で要請するはずよ。そのA班は、今朝の時点では光栄にも私の指揮下にあるわ」ゲルプフィッシュ家は口達者な家系で、演説や説得や策謀が巧みだった。ビーナの父親などは、ランツマンに娘との結婚を諦《あきら》めさせるのにほとんど成功しかけたくらいだ。しかも結婚式の前夜に。それはともかく、ビーナは続けた。「光栄にもというのは心からの言葉よ。世の中に出て以来、私ががむしゃらに頑張ってきたのは二人とも知ってるわよね。いつか運をつかんで、この机のこの椅子に坐ってやる。そして中央方面署の偉大な伝統を引きついで、たまには殺人犯を一人二人捕まえて刑務所に入れてやると思ってきたの。そして今、ここにいる。来年の一月までは」

「俺たちも同じ気持ちだよ、ビーナ」ベルコの口調は最前よりも真剣だった。「ファイルキャビネットがごったごただという点も同感だ」

ランツマンは右に同じと告げた。

「それはありがたいわ」とビーナは言った。「私はあなたたちがどれだけ遺憾に思っているかもわかっているつもりよ……これについて」

ビーナはそばかすの散った細長い手をファイルの山の上に載せた。正確には十一冊あり、一番古いものは二年以上前のものだ。殺人課にはあと三組の刑事たちがいるが、未解決事件ファイルの山のこれほどの高さを誇れる組は一つもなかった。

「フェイテルの事件はもうじきだ」とベルコが言った。「今は地区検事から連絡を待ってるところでね。それとピンスキーの事件も。あとジルバーブラットの事件もそうだな。やつのお袋が――」

ビーナが片手をあげてさえぎった。ランツマンは黙っている。恥ずかしくて何も言えなかった。彼にとってそのファイルの山は、このところ続いている彼自身の凋落《ちょうらく》のシンボルだった。

「ストップ」とビーナは言った。「そこまで。よく聞いて。ここからがいやーなところだから」

ビーナはうしろに手を伸ばし、未決書類入れに入っていた一枚の書類と、さっきのよりも薄い水色のファイルホルダーを一冊とった。ランツマンには見覚えのあるホルダーだ。今朝の四時半に自分で作成したファイルだからだ。ビーナはスーツの胸ポケットから半月型レンズの眼鏡を出したが、ランツマンは今初めてそれを見た。彼女は年をとりつつある。自分も年をとりつつある。それは予定どおりと言っていい。だがこうして時が流れてみると、ふしぎなことに、二人はもう夫婦ではなくなっている。

「シトカ特別区の警察官の処遇について、ユダヤの賢者たちが方針を決めたの」とビーナは説明を始めた。書類に眼を走らせながら、動揺と、さらには気力の萎《な》えすら見せていた。「その方針は次のようなすばらしい原則から出発するわけ。すなわち、警察業務の権限がいずれシトカに赴任する合衆国執行官に移管される際、業務の適切な引き継ぎの観点からはもちろんのこと、すべての関係者にとって望ましいのは、捜査続行中の重要事件が存在しないことである」

「糞みたいな冗談《ギヴ・ミー・ア・ファッキング・ブレイク》はよしてくれ、ビーナ」とベルコが英語で嘴《くちばし》をはさんだ。ビーナの言わんとするところをたちどころに理解したのだ。ランツマンが追いつくのには今しばらくかかった。

「捜査続行中の重要事件が存在しないこと」ランツマンは愚かしいほど平静に復唱した。

「この方針には」とビーナは続けた。「〝効率的解決〟なるキャッチーな名前がついてるのよね。要するに、あなたたちは特別区の警察バッジを持つ殺人課刑事としての残りの期間、重要事件の解決に専念するということ。その期間はおよそ九週間。対象となる重要事件は十一件。二人でどう仕事を分担してもいい。どうまとめあげても、私はかまわないわ」

「まとめあげる？」とベルコが訊《き》き返す。「それはつまり——」

「意味はわかるはずよ、警部」ビーナの声には感情がなく、顔には読みとれる表情がなかった。「ねばねばしていて貼りつけやすい相手に貼りつける。貼りつかないなら糊《のり》を使う。まとまらない事件は」——声がかすれそうになる——「見切りをつけて九番キャビネットへしまいこむのよ」

九番キャビネットは迷宮入り事件の記録を保管する場所だ。ここに記録をしまいこんでも、事件がなくなるわけではないが、実質的には火をつけて燃やし、残った灰を強い風の吹く場所へ散歩に連れていくのと同じことだった。

「埋めちまうのか」とベルコは訊いた。

「響きのいい名前の新方針の限度内で誠意をもって努力する。それでだめなら、誠意ぬきで努力する」ビーナは机の上のフェルゼンフェルトが残したドーム型の文鎮を見た。ガラスのドームの中には安っぽいプラスチックでできたシトカ市街地の漫画っぽい模型が封じこめてあった。高層ビル群の真ん中には〈安全ピン〉がそびえ、弾劾《だんがい》するかのように空を指さしている。「それから見切りをつける」

「事件は十一件だと言ったね」とランツマンは言った。

「聞いてたのね」

「しかし、ゆうべあることが起きた。だから、お言葉を返すようで恐縮だが、十二件なんだ。十一件じゃなくて。シェメッツ＝ランツマン組の未解決事件は十二件」

ビーナはランツマンが今朝早くに作成した薄いファイルをとりあげた。「これ？」開いて、中身を読んだ。あるいは読むふりをした。殺人事件と見られる一件。至近距離からの銃撃。被害者は自称エマヌエル・ラスカー。「なるほど。わかった。じゃ、これをどう処理するか見てて」

ビーナは机の抽斗《ひきだし》を開けた。フェルゼンフェルトの机だが、少なくともこれから二ヵ月ほどは、ビーナの机だった。中をかきまわして、顔をしかめた。使い古したフォームラバーの耳栓が何十個もあるのを見たせいかもしれなかった。前にランツマンが開けてみたとき、眼にしたのがそれだった。ビーナはファイルホルダーに貼るシールを一枚出した。黒いシールだった。ランツマンがラスカー事件のホルダーに貼った赤いシールを剝《は》がすと、黒いシールを貼った。ひどい傷を消毒するときや、カーペットから何か汚いものを濡れスポンジで拭《ぬぐ》いとるときのように、息が浅かった。シールを貼り換える十秒間に彼女が十歳老けたように、ランツマンには見えた。ビーナは新たにできあがった迷宮入り事件のファイルを親指と人差し指でつまみあげ、身体《からだ》から離した。

「〝効率的解決〟」とビーナは言った。

8

バー〈ノズ〉は、名前からわかるとおり、警官《ノズ》の溜《た》まり場になっている店で、経営者は二人とも退職警官だった。店内はいつも警官の愚痴と噂話《うわさ》が煙草《たばこ》の煙のようにたちこめて息が詰まりそうだ。二十四時間営業だが、大きなオーク材のカウンターに非番の警官の姿が絶えることはない。〈ノズ〉はお偉いさん方からのくだらない命令に文句を垂れたいときには打ってつけの店なので、ランツマンとベルコは近づかないことにした。〈マニラの真珠〉も、フィリピン風の中華ドーナツが砂糖をきらめかせて誘いかけてきたが、前を素通りした。〈フェター・シュナイアー〉、〈カーリンスキーの店〉、〈内海航路《インサイド・パッセージ》〉、それに〈ニウ-ヨーカー・グリル〉も避けた。早朝なので、ほとんどの店はまだ閉まっているが、開いているところは警官や消防士や救急隊員の集まる店だった。

二人は寒さに背中を丸めて急いだ。大男と小男の身体が軽くぶつかり合う。息は渦巻きながら、市街中心部《ウンターシュタート》に立ちこめる大きな息ともいうべき霧に呑《の》みこまれた。霧の太い渦は車のヘッドライトやネオンサインをにじませ、港を消し去り、オーバーの襟や帽子のてっぺんに銀色のぬめりとした筋を残した。

「〈ニウ－ヨーカー〉なら誰も来ないぜ」とベルコが言った。「あそこなら大丈夫だ」

「前に一回、タバチュニクを見かけた」

「タバチュニクはおまえの秘密兵器の計画書を盗みゃしないよ、マイヤー」

ランツマンはある種の殺人光線か、マインドコントロール光線か、ともかく権力の回廊に揺さぶりをかけるための何かの手段か計画を持っていたらと思った。アメリカ人に神への本物の畏《おそ》れを吹きこんでやるために。ほんの一年だけ、いや、できれば十年、百年、ユダヤ人の離散を遅らせるために。

二人は蛮勇をふるって、ぞっとしない〈フロント・ページ〉に入ることにした。ミルクは凝《こご》り、コーヒーの味はシトカ総合病院のレントゲン検査で飲むバリウムそっくりという店だ。ランツマンはカウンターのぐらぐらするスツールに、デニス・ブレナン爺《じい》さんの薄茶色の綿ズボンの尻《しり》が載っているのを見た。この店は名前こそ〈一面《フロント・ページ》〉だが、新聞にはとっくの昔に見棄《みす》てられていた。《シトカ・ブラット紙》はつぶれ、《シトカ・トーグ紙》は空港の近くの新しいビルに移ったからだ。それにしてもブレナン爺さんは、かなり前に幸運と栄光を求めてシトカを出たはずだ。街に吹き戻されてきたのはごく最近のことに違いない。〈フロント・ページ〉がもう店として終わっていることは誰からも聞いていなかったのだろう。

「しまった。やつに見つかった」とベルコは言った。

ランツマンは最初そうは思わなかった。ブレナンはこちらに背中を向けているし、アメリカの大新聞――ブレナンは大成功する前にそのシトカ支局に勤めていた――の株式欄を熱心に見ていたからだ。ランツマンはベルコのコートをつかみ、店から出て通りを歩きだした。人に盗み聞きされず、何かを食べながら話ができるちょうどいい店を思いついていた。

「シェメッツ警部。しばしお待ちを」

「見つかってたか」とランツマンは認めた。

振り返ると、ブレナンが立っていた。大きな頭は無帽で、コートも着ておらず、ネクタイは肩のうしろへ振りあげられていた。ローファーの左側の甲には硬貨をはさんでいるが、右側は破産状態。ツイードの上着の肘当《ひじあ》てはグレービーソースの染《し》みの色をしている。頬は髭剃《ひげそ》りが必要な状態だが、頭はワックスをかけたばかりのようだ。勇躍して出かけた先であまりうまくいかなかったのかもしれない。

「あの非ユダヤ人《シェイゲッツ》の頭を見てみろ。頭だけで独立した雰囲気してるぞ」とランツマンは言った。「てっぺんには万年雪だ」

「実際、あの頭はでかいな」

「見るたびに首が気の毒になる」

「あの首を両手で支えてやるか。ぐらつかないように」

ブレナンは白い芋虫のような指をした手をあげ、小さな眼をしょぼしょぼさせた。眼はうっすら青いスキムミルクの色だ。そしていかにも慣れた感じで憂《うれ》いを帯びた微笑みを浮かべたが、このベン・メイモン通りの路上で、ベルコとのあいだに一メートル半ほどの距離を保っているのにランツマンは気づいた。

「かつての脅しを今ふたたびくり返す必要はございませぬよ、シェメッツ警部」元新聞記者はひどく大仰なイディッシュ語で早口に言った。「かの折りの暴力は常盤木《ときわぎ》の緑とみずみずしい樹液を保ちつづけていればなり」

ブレナンは大学でドイツ語を学び、職業技術専門学校の尊大な老ドイツ人教員からイディッシュ語を習った男で、いみじくも誰かが言ったように、〝脚注のついた「ソーセージの製法説明書」のような〟しゃべり方をする。大酒飲みで、長い夕暮れや雨の日が性格的に苦手だった。鈍感で呑みこみの悪そうなふりをするのは、刑事や新聞記者がよく使う手だ。だが、とにかくいつもだめ男《シュレミール》だった。そのブレナンがシトカで大スクープをものにしたとき、びっくりしたのは誰よりも本人自身だった。

「私がなんじの怒りを怖《おそ》れていることは前もって共通の理解としようぞ、警部。なんじはわが尻にかぶりつくやもしれぬな」

「そこまで腹ペコなやつはいないさ、ブレナン」とランツマンは言った。「あんたはたぶん安全だよ」

ブレナンは傷ついたような顔をした。この大頭の非ユダヤ人は繊細な男で、冷たい態度やからかいや皮肉にすぐ落ちこむ。それなのにひねくりまわした物の言い方をするので、すべてが冗談のように受けとられてしまう。こうしてブレナンのまじめに受けとめてもらいたいという欲求は強まるばかりなのだ。

「デニス・J・ブレナン」とベルコは言った。「おまえはまたシトカ勤務になったのか」

「これは何か罪を犯したせいかねえ、シェメッツ警部。その罰なのかねえ」

もちろん、それは罰だった。アメリカ本土の新聞社やテレビ局からシトカ支局勤務を命じられるのは無能か失態を理由とする懲罰的左遷《させん》にほかならない。ブレナンがまたここへ舞い戻ったのは、よほどのヘマをやらかしたせいに違いなかった。

「おまえがよそへ行ったのは、まさにそのせいだと思ったがな、ブレナン」ベルコは冗談を言っているのではなかった。眼がどろんと濁り、口はダブルミント・ガムかアザラシの脂肪、あるいはブレナンの心臓のコリコリした弁を嚙《か》んでいるような動き方をした。

「おまえは罪を犯したんだよ」

「私はまずいコーヒーを残し、情報提供者と会う約束を破ってまでここへ来た。その情報提供者はどのみちまともな情報を有してはおらぬと見ているが、ともかく私はこうしてなんじの怒りに触れる危険を冒しているわけなのだ」

「ブレナン、頼むから英語で話してくれ」とベルコは言った。「いったいなんの用なんだ」

「ネタが欲しいんだ」とブレナンは英語で答えた。「決まってるじゃないか。でも、あんたからネタをもらうには、以前の誤解を解いておく必要があるだろう。だから一応話しておくよ」ブレナンは今度は英語で仰々しい話し方をした。「私は何一つ撤回する意図はないのだ。この不細工に大きな頭を打擲《ちょうちゃく》するならそれでもよいが、私はあの記事の一言一句に今日この日にも自信があるのだよ。あれは裏付けのある正確な記事であった。しかし認めるにやぶさかでないのは、あの一件全体がわが口に嫌な後味を残したことで——」

「自分のケツの味がしたかい」ランツマンが絶妙の呼吸で茶々を入れた。「おまえさんの尻に嚙みついたのはおまえさん自身だったのかもな」

ブレナンは狂ったように話しつづけた。ランツマンは、この異教徒《ゴイ》はしばらく前から口上を用意していたのではないかという気がした。ベルコから記事のネタ以上のものを引き出そうとしているのではないかという気が。

「確かにあの記事は私のいわゆるキャリアにとってプラスに作用した。何年かはだ。この僻地《へきち》から飛び出すきっかけになった。いや僻地というと語弊があるが。まずはロサンゼルスへ行き、次にソルトレイク、それからカンザスシティー」都市名が徐々にうらぶれてくるにつれて、ブレナンの声は低く小さくなってきた。「スポーカン。でも、なんじゃなんじの家族には辛《つら》いことだったのは承知しているのだ、警部。だから、もし許してもらえるなら、あんたがたを苦しめたことに対して謝罪したいんだがね」

シトカ特別区の現政権の一期目を発足させた選挙の直後に、デニス・J・ブレナンはある連載記事を書いた。それはヘルツ・シェメッツが四十年にわたるFBI勤務時代に犯した収賄《しゅうわい》と違法捜査と陰謀についての慎重かつ執拗《しつよう》に細部を詰めた報道だった。その後FBIは対破壊者諜報《ちょうほう》活動を終結させ、業務をほかの部署に移して、ヘルツ・シェメッツを不名誉な辞職に追いこんだ。ランツマンはものに動じないほうだが、最初の記事が出たあとの二日ほどはさすがに朝ベッドを出るのが辛かったものだ。ヘルツ伯父が人間としても公務員としても著しい欠点を抱えていることは、誰よりもよく知っていた。だが子供が警官になりたいと思うようになる理由を知りたければ、近親者に警官がいないか調べてみるのがてっとり早い。欠点があろうとなかろうと、ヘルツ伯父はランツマンにとってヒーローだった。頭がよく、タフで、根気よく、忍耐強く、几帳面《きちょうめん》で、自信に満ちていた。かりに伯父が、正規の手続きを省きがちで、癇癪《かんしゃく》を起こしやすく、秘密主義のところがあったために、ヒーローとは言えない人物だったにしても、捜査官としては間違いなく腕利《うでき》きだったのだ。

「それにはごく穏やかな返事をしておくよ、デニス」とベルコは言った。「おまえはそこそこいやつだからな。働き者で、まともな文章が書ける。おまえのおかげで、俺の相棒はめちゃくちゃお洒落《しゃれ》な男に見える。だからこう言うよ。くそ食らえとな」

ブレナンはうなずいた。「そう来るかなとは思っていたよ」と英語で悲しげに言った。「今の俺の親父《おやじ》は糞《くそ》ったれの隠者だ」とベルコは言った。「キノコみたいなものだ。丸太の下でハサミムシやヤスデと一緒に暮らしてる。親父のやったことがどれほど悪いことだったにせよ、ユダヤ人のためによかれと思ってやったんだ。この件で一番ひどい話は何かわかるか。親父のしたことは正しかったってことだ。それが証拠に見てみろ、この情けない状況を。親父がいないとこうなるんだ」

「やれやれ、シェメッツ。そういうことを聞くと嫌になるよ。もう一つ嫌になるのは、私の書いた記事がこの——あんたたちユダヤ人が陥った苦境と無関係じゃないと思うと……ああ、くそ。もういい、忘れてくれ」

「じゃ、そういうことで」ランツマンはまたベルコの袖《そで》をつかんだ。「さあ行こう」

「ところで、そのう、あんたらはどこへ行くんだい。何かあったのか」

「犯罪と闘ってるだけだよ」とランツマンが応じた。「この前おまえさんがここにいた頃と同じだ」

長年の心の重荷をおろした今、ブレナンの中の猟犬がベルコとランツマンに事件の匂《にお》いを嗅《か》ぎとっていた。それは一街区先からでも匂い、ガラスごしにも見え、ベルコの堂々たる足どりのちょっとした揺らぎや、ランツマンの肩のわずかな下がり具合からでも感じとれたのかもしれない。もしかしたら最前の謝罪は、ブレナンが英語でずばり訊いてくるための下ごしらえだったのかもしれなかった。

「誰が死んだんだね」

「苦境に陥っていたユダヤ人だ」とベルコが答えた。「犬が人を咬《か》んだ事件さ*」

* 〝犬が人を咬んでもニュースにならないが、人が犬を咬むとニュースになる〟という警句がある。

9

ランツマンとベルコは歩きだし、ブレナンは〈フロント・ページ〉の前に残された。風に吹かれたネクタイが、〝しまった！〟という仕草をする手のひらのようにブレナンの額をぴしりと打った。二人の刑事はスアード通りからペレツ通りに折れる。パラッツ劇場の前を過ぎたところで角を曲がり、知事公邸跡のわきを通る。それから黒塗りの大きな出窓がある黒い大理石の店構えの黒いドアの前へ行った。

「おい、冗談だろ」とベルコが言う。

「この十五年ほど、〈ボルシチ〉でほかの警官に会ったことはないよ」

「金曜日の朝九時半だぞ。いるのはネズミだけだ」

「そんなことはない」ランツマンは先に立って建物の横手のドアの前へ足を運び、拳《こぶし》の関節で二回ノックした。「かりに悪事の計画を立てなくちゃならないとしたら、打ってつけの場所はここだと前から思ってたんだ」

重い鉄のドアがうめきながら開き、カルシナー夫人の姿が現われた。灰色のスカートに黒いパンプスと、礼拝に出るか銀行に出勤するのに適した服装だ。ただし髪にはピンク色のウレタンフォームを使ったカーラーを着けている。手にした紙コップに入っている液体は、コーヒーかプルーンジュースのように見えるが、カルシナー夫人は嚙み煙草《たばこ》をたしなむ。紙コップは唯一の、というわけではないが、いつも一緒の友達だった。

「あんたなの」夫人は指についた耳垢《みみあか》をちょっと舐《な》めてみたかのように顔をしかめた。洗練された仕草で紙コップに唾《つば》を吐く。それから賢明な習慣に従って、通りの左右へ時間をかけて視線を走らせ、どんな種類の面倒が持ちこまれたのかを知ろうとした。とくにこのヤムルカをかぶった先住民の大男が、自分の仕事場になんの用があるのか。厳しい眼で観察する。過去にランツマンがこういう時間に連れてきた人間は、ネズミみたいな眼をしてキョトキョトしているベニー・〝そわそわ野郎〟・プロッターや、密告界のハイフェッツ（天才バイオリン奏者）の異名をとるジークムント・ランダウのような連中だった。ところがこの大男はおよそタレコミ屋《シュティンカー》らしく見えない。先住民の顔をしているから、マフィアの仲介人でも、下級構成員でもないだろう。カルシナー夫人は熟考のすえ、この男は犯罪者のどの分類にも当てはまらないようだと判断し、紙コップに唾を吐いた。ランツマンに眼を戻して、ため息をつく。ある見方をすれば、ランツマンには十七回のお返しに値する借りがある。べつの見方をすれば、腹を一発殴ってやってもいいくらいだ。夫人はわきへよけて、二人を通した。

店内は市バスの回送車と同じくらい人けがなく、匂いは二倍ひどかった。汗と小便のベースの上に、最近誰かが漂白剤の高音域《ハイノート》の音色を振りまいていったらしい。鋭い鼻なら、すべての匂いに古いドル紙幣の匂いが薄くかぶさっているのがわかるはずだ。

「その辺に坐《すわ》って」カルシナー夫人は椅子《いす》を指定せずにそう言った。ステージのあるフロアに並べられた丸テーブルには、逆さにした椅子が鹿《しか》の角のように生えている。ランツマンはそんな椅子を二つおろして、ステージから遠い正面入口の、重厚なスライドボルト錠を付けたドアのそばに置く。カルシナー夫人が奥の部屋へ入ると、戸口に吊《つ》るしたビーズのカーテンが、何粒もの歯が入ったバケツを揺すったような音を立てた。

「別嬪《べっぴん》さんだな」とベルコが言う。

「可愛《かわい》いだろう」とランツマンも調子を合わせる。「午前中しか来ないんだ。客どもを見なくていいように」〈ボルシチ〉はシトカのミュージシャンたちが、仕事場である劇場やクラブがはねたあとで酒を飲む店だ。彼らは真夜中をだいぶ過ぎた頃に三々五々やってくる。雪の日は雪を帽子にいただき、雨の日は袖に水滴をつけて。そして狭いステージに陣取って、クラリネットやフィドルで果たし合いのようなセッションをやる。天使がつどう場所は悪魔も引き寄せるもので、やくざや泥棒や薄幸の女も常連だ。「ミュージシャンが嫌いなんだ」

「けど、あの女の亭主は――ああ。そうか」

故ナータン・カルシナーは、〈ボルシチ〉の元経営者で、C-ソプラノ・クラリネットの王者だった。さらには賭博《とばく》狂や薬物中毒でもあるなど、いろいろな面で悪い男だったが、まるで悪霊《ディブック》が憑《つ》いているかのようにクラリネットを吹いた。音楽愛好家のランツマンは、破滅型の魂をもった無分別なナータンをできるだけ厄介事から救ってやる努力をしたが、ある日とうとう、名の知られたロシアン・マフィアのボスの妻と駆け落ちしてしまい、カルシナー夫人に残されたものは〈ボルシチ〉と債権者たちの温情だけとなった。ナータンの身体《からだ》の一部は後日、ヤコヴィーの港湾で発見されたが、彼のC－ソプラノ・クラリネットは見つからずじまいだった。

「あれはご亭主が飼ってた犬か」ベルコがステージを指さして訊《き》いた。ナータンが毎晩クラリネットを吹いていた場所に、テリアの血が半分混じった巻き毛の雑種犬がいた。白地に茶色のぶち犬で、片方の眼のまわりが黒い。ちょこんと坐り、まるで脳内の声か楽器の音色に聞き入っているかのように両耳を立てている。たるんだ鎖が壁の鉄環につながれていた。

「ヘルシェルだ」とランツマンは答えた。犬の辛抱強い姿勢には何か痛ましいものがあった。いかにも犬らしい、静かな忍耐力が感じとれた。ランツマンは眼をそらす。「もう五年も毎日あんなふうに坐ってる」

「感動的だな」

「まあな。ただ、正直言って、あいつを見るとなんだかイラッとするんだ」

カルシナー夫人がまた出てきた。トマトと胡瓜《きゅうり》のピクルスを入れた金属のボウル、芥《け》子《し》の実入りのロールパンを盛った籠《かご》、それにサワークリームをつくったボウルを持っている。三つとも左の手と腕で運んでいた。右手はもちろん、嚙み煙草を吐くための紙コップでふさがっている。

「美味《うま》そうなピクルスだね」とベルコが言った。返事がないので、さらにつけ加えた。「可愛い犬だ」

ランツマンが感心するのは、ベルコがいつも会話の糸口を見つけようとすることだ。相手の口が重いと、いよいよ張り切りだす。これは子供の頃からそうだった。それほど熱心に人と関わり合おうとする。とくに、真空パックされたような従兄《いとこ》のランツマンが一緒だと。

「ただの犬よ」カルシナー夫人はピクルスとサワークリームとロールパンをテーブルに無造作に置くと、またビーズのカーテンをじゃらつかせて奥の部屋へ入っていった。

「じつはおまえに頼みがあるんだ」ランツマンは犬を見つめながら本題に入った。犬はステージの上で寝そべって関節炎の膝《ひざ》を休め、前足の上に顎《あご》を載せている。「おまえが断わってくれたらいいと思ってるがな」

「そいつは例の〝効率的解決〟とやらと関係しているのかね」

「あの方針を馬鹿《ばか》にしているのか」

「そういうわけでもない」とベルコ。「馬鹿にするまでもなく馬鹿げてる」トマトのピクルスを一つ摘《つま》み、サワークリームを少量つけて、唇を汚さないよう口をきちんと開いて食べる。トマトの果肉と漬け汁の酸味が口に広がると、嬉《うれ》しそうに顔をくしゃりとさせた。「ビーナは元気そうだな」

「俺もそう思った」

「ちょっと男っぽい感じだが」

「おまえは前からそう言ってたな」

「ビーナ、ビーナ」ベルコは淋《さび》しげに首を一つ振ったが、その仕草には同時に優しさも含まれていた。「前世は風見鶏《かざみどり》だったんだろうな」

「それは違うと思う」とランツマンは言った。「おまえの言っていることは正しいが、でも、間違っていると思う」

「ビーナが出世主義者じゃないと言ってるんじゃないだろうな」

「そうは言っていない」

「出世主義者なんだよ。前からそうだった。そういうところが俺は好きだった。ビーナは頭のいい女だ。タフで。政治的で。忠誠心に厚いと思われてる。それも上と下の両方からだ。難しいことだが、それが成功の秘訣《ひけつ》なんだよ。まさに警視向きの人材だ。世界のどこの国の警察に入っても警視になれる」

「警察学校での成績はトップだったな」とランツマンは思い出した。

「入学試験はあんたのほうが成績よかったんだろ」

「そうさ。そうなんだ。そのことは前に話したか」

「合衆国執行官局もビーナ・ゲルプフィッシュの能力には眼をつけてる」とベルコ。「ビーナが〝復帰〟後のシトカ警察に残ろうとしているとしても、俺は責める気になれないね」

「いい点を突いてるが」とランツマンは応じた。「俺はそうじゃない気がする。彼女があの職を引き受けたのはそれが理由じゃない。あるいは、それだけじゃないと思う」

「じゃ、何が理由なんだ」

ランツマンは肩をすくめる。「わからない。もうまともなことを思いつけないのかもしれない」

「そうじゃないことを祈るよ。ひょっとしたら、そのうちあんたと縒《よ》りを戻そうとしたりして」

「よしてくれ」

「ぞっとするか」

ランツマンは肩ごしに唾を吐くふりを三度した。それから、ロシア人の縁起かつぎのこの仕草は、嚙《か》み煙草と何か関係があるのだろうか、と思っていると、カルシナー夫人が戻ってきた。辛《つら》い人生の、重い足枷《あしかせ》を引きずっているような足どりだ。

「今出せるのは固茹《かたゆ》での卵」夫人は脅しつけるような口調で言う。「あとはベーグルと、鶏の腿《もも》肉のゼリー寄せ」

「いや、何か飲み物をくれればいいよ」とランツマンは言った。「おまえはどうだ、ベルコ」

「ゲップの出る水が欲しいね」とベルコが答える。「ライムをきゅっと搾《しぼ》ってくれるとありがたい」

「何か食べたいでしょ」それは推測しているのではなかった。

「じゃ、お言葉に甘えて」とベルコは答える。「卵をもらおうかな」

カルシナー夫人がランツマンを見る。ランツマンはベルコが、どうせおまえはスリヴォヴィッツを注文する気だろうという眼で見ているのを意識した。いつまでも問題を引きずりつづけるランツマンへの、ベルコのうんざりした苛立《いらだ》ちが感じとれる。もうそろそろしゃきっとしていい頃じゃないのか。何か生きがいを見つけて、その道を行けよ。

「コカ・コーラを頼む」とランツマンは言った。

ランツマンであれ誰であれ、ナータン・カルシナーの未亡人を驚かせたのは初めてかもしれない。鉄灰色の眉《まゆ》を片方だけ吊りあげ、くるりとこちらに背中を向けて歩きだした。ベルコは胡瓜のピクルスを一つ摘み、突起のある緑の膚《はだ》から胡椒《こしょう》と丁子《ちょうじ》を振り落とした。胡瓜をポリポリ噛みながら、眉をひそめた幸せそうな顔をする。

「酸《す》いも甘いも知った女が美味いピクルスをつくるんだな」ベルコはそれから、からかうように軽く訊いた。「どうだ、またビールを飲みたくないか」

もちろん、飲みたかった。舌の裏に苦味がじわりと走った。エステル＝マルケに飲ませてもらった一杯はまだ身体に残っているが、そろそろ出ていこうと荷物をまとめはじめている気配がある。これから相棒に持ちかけるつもりの提案が、ふいにひどく愚かしいものに思えた。命をかけるほどのことでないのは間違いない。だが一応話してみる必要はある。

「くそ、誘惑するなよ」ランツマンは椅子から腰をあげた。「ちょっと小便だ」

トイレに入ると、エレキギター奏者が倒れていた。ランツマンは店の奥のテーブル席から、この男の演奏によく感心したものだった。この男は、アメリカやイギリスのロック・ギタリストの技術や反逆的な姿勢を初めてブルガリア民族音楽やジプシー音楽やユダヤ舞踏音楽の世界に持ちこんだ連中の一人だった。年齢や生い立ちがだいたい同じで、出身地も同じハリバット海峡地区なので、自分はすごい刑事ではないかと自惚《うぬぼ》れていた頃のランツマンは、自分自身を、というより、自分の捜査手法を、この男の直観的で華麗な演奏スタイルになぞらえたものだ。その男が、死んでいるのか気絶しているだけなのか、トイレの個室でへたりこみ、高いギャラを稼ぐ手を便器の中に突っこんでいる。

黒い革の三つ揃《ぞろ》いに、赤いリボンネクタイ。黄金の指には指輪がなく、かすかな跡だけが残っている。タイル床に落ちている財布は濡《ぬ》れて革が膨張しているが、中は空のようだ。

男は一度だけ、鼾《いびき》をかいた。ランツマンは直観的で華麗な捜査手法を駆使して、喉《のど》に指をあててみた。脈は安定している。男の周囲の空気はアルコールの蒸気に満ちて、今にも発火しそうだ。財布からは現金と身元がわかるものが抜かれたのだろう。衣服を手で軽く叩《たた》いて身体検査をすると、革の上着の左ポケットにカナダ産ウォッカの一パイント瓶が入っていた。金は盗んだが酒はとらなかったわけだ。ランツマンも、酒などいらない。それどころか、持ち主を失ってごみに等しくなったこの液体を自分の腹の中に棄《す》ててしまうことに対して、ある種の道徳的な引っかかりを覚える。ランツマンは、自分の魂のクモの巣のはった地下室を、思いきって一瞬だけ覗《のぞ》いてみた。要はカナダ産のよく飲まれている銘柄の酒にすぎないものに、なぜこんなに嫌悪《けんお》を感じるのか。どうやらそこには、元の妻が、シトカに帰ってきたたくましい元気いっぱいのビーナが、なんらかの形で関係しているようだ。これから毎日彼女と顔を合わせるというのは、拷問《ごうもん》に等しい。それはちょうどモーセが、ピスガ山頂から約束の地カナーンの眺めを神に見せられ、それを死ぬまで毎日瞼《まぶた》に浮かべるはめになった苦しみに似ている。

蓋《ふた》をはずして、ぐいぐい喇叭《ラッパ》飲みをする。ウォッカはシンナーとクレンザーの混合液のように喉を焼く。口を離したとき、瓶には中身が何センチか残ったが、ランツマンの中には焼けつくような後悔しか残らなかった。昔はギタリストに自分を重ね合わせて喜んだものだが、今はその二重写しが苦の種だ。一瞬ながら、はげしく葛藤《かっとう》したあとで、ウォッカはごみ入れに棄てないことに決めた。棄ててしまうと誰の役にも立たなくなる。瓶はもう一人の敗残者である自分のポケットに移した。ギタリストを個室から引き出し、濡れた右手をトイレットペーパーで丁寧に拭《ふ》いてやる。それから本来の目的である自分自身の放尿にとりかかった。尿と便器と水が奏《かな》でる音楽に誘われて、ギタリストが眼を覚ました。

「俺は大丈夫」と床から挨拶《あいさつ》がある。

「それで大丈夫とは恐れ入る」とランツマン。

「うちのやつには電話しないでくれ」

「しないよ」とランツマンは約束したが、すでに相手はふたたび意識を失っていた。ランツマンはギタリストを廊下に引きずり出し、電話帳を頭の下に敷いてやった。それからベルコの待つテーブルに戻って、泡立つ甘い飲み物を上品にひと口味わった。

「うーん」ランツマンは言った。「コーク」

「で、相談ってのは」とベルコが促した。

「ああ」とランツマンは言った。よみがえった自信と幸福感は、明らかにウォッカが生み出した幻想だった。ランツマンは都合のいい理屈をつけた。神の眼から見れば、人の持つどんな自信も幻想であり、どんな意欲もお笑い草なのだと。「じつはかなりでかい問題なんだ」

ベルコには話の方向が見えていたが、ランツマンはまだそこへ行く心の準備ができていなかった。

「おまえとエステル＝マルケは居住継続の許可を願い出たそうだな」とランツマンは言った。

「それがあんたにとってでかい問題なのか」

「いや、これはただの前置きだ」

「永住権《グリーンカード》の申請をしたよ。カナダやアルゼンチンに移住しない人間はみんな申請する。あんたはやってないのか、マイヤー」

「するつもりはあったんだ」とランツマンは答えた。「いや、申請はしたのか。よく覚えてないな」

これはベルコには理解しがたい衝撃的な発言だったし、ランツマンもこんな話をしにきたのではなかった。

「いや、申請はした」とランツマンは訂正する。「今思い出した。うん。〝I－999〟の書類やら何やらを書きこんだんだ」

ベルコはランツマンの嘘《うそ》を信じているかのようにうなずいた。

「そうか。するとおまえたちは残るつもりなんだ。このシトカに」

「申請が通ればな」

「だめかもしれないと思う理由があるのか」

「定員の問題だよ。許可される率は四十パーセントくらいだそうだからな」ベルコは首を振る。その仕草は今の時期、シトカのユダヤ人が〝復帰〟後にどこへ行くか、何をするかを考えるときにする標準的なものだった。現実にはどんな保証もなされていない。四十パーセントという数字も噂《うわさ》にすぎないのだ。過激なユダヤ人の中には、シトカ特別区がアラスカ州に〝復帰〟したあとも住んでいられるユダヤ人の数は、希望者の五パーセントから十パーセントだと、眼を血走らせてがなりたてる者もいる。そういう過激派が、武力抵抗だの、連邦脱退だの、独立だのを叫んでいる。ランツマンはその種の議論や噂にはほとんど関心を示してこなかった。自分が住んでいる地域の最も重大な問題であるにもかかわらず。

「親父《おやじ》さんはどうなんだ」とランツマンは言う。「もう顔はきかないのか」

ヘルツ・シェメッツは――デニス・ブレナンが連載記事で明らかにしたとおり――四十年間、ＦＢＩの国内監視プログラムのシトカ特別区担当責任者としての地位を利用して、私的なゲームを行なった。ＦＢＩが五〇年代にヘルツをその地位につけたのは、共産主義者やシトカ特別区の左派ユダヤ人と戦わせるためだった。左派ユダヤ人は、細かなセクトに分かれてはいるが、いずれも強烈な被害者意識に支えられた強硬派で、アメリカ合衆国に不信感を抱いており、中でも消滅したイスラエル共和国の出身者は、シトカ特別区を提供されたことにあまり感謝してはいなかった。ヘルツ・シェメッツの本来の任務は、シトカ特別区の左派勢力を対象とする潜入工作だった。彼は左派勢力を一掃してしまった。社会主義者と共産主義者を戦わせ、スターリニストとトロツキストを戦わせ、ヘブライ・シオニストとイディッシュ・シオニストを戦わせた。これらの抗争が終わると、生き残った集団どうしに咬《か》み合いをさせた。六〇年代後半からは、先住民であるトリンギット族の中で生まれはじめていた過激なユダヤ人排斥運動を陰からあおり、時機を見てその過激派からも牙《きば》を抜いた。

だが、そうした活動は、ブレナンが暴露したとおり、隠れ蓑《みの》にすぎず、ヘルツ・シェメッツには本当の目的があった。それはシトカ特別区の地位の恒久化だ。ヘルツはそこからさらに、特別区の州昇格さえも夢見ていた。「流浪《るろう》の民はもうごめんだ」と、ヘルツ伯父はよくランツマンの父親に話したものだ。ランツマンの父親も、死ぬまでシオニズムのロマンを抱きつづけていた。「追放されて、どこかへ移民して、いつの日かラクダの国で暮らしたいと夢見る。そんなのはもういい。手に入った土地を死守して、断固そこに留まるべきなんだ」

ヘルツ伯父は毎年、予算の半分をアメリカ合衆国の有力者たちを抱きこむ費用に転用していた。上院議員を買収し、下院議員に甘い利権を約束し、ぜひとも協力が必要なユダヤ人富裕層にロマンチックな夢を売りこんだ。シトカ特別区恒久化法案は三度提出されて廃案となった。二度は委員会どまりだったが、一度は本会議で審議され、僅差《きんさ》で敗れた。連邦議会でこの闘争が行なわれた翌年、現在の大統領が大統領選に出馬して、長年の懸案だった〝復帰〟を具体的な政策として打ち出し、〝野性的でクリーンなアラスカをアラスカ人のもとへ返そう〟と訴えた。そしてデニス・ブレナンの記事が出て、ヘルツ伯父は丸太の下へ追いやられたのだった。

「親父？」とベルコは訊《き》き返した。「あのちっぽけな先住民居留地で、山羊《やぎ》を一頭飼って、冷蔵庫にヘラジカの肉をたっぷり詰めこんでるあの爺《じい》さんのことか。ああ、たぶん今でも権力の中枢《ちゅうすう》に食いこんでる黒幕なんだろうよ。でも、それはそれとして、どうやらうまくいきそうな気配もあってな」

「そうなのか」

「エステル＝マルケと俺はもう、三年間の就労許可は取ってるんだ」

「それなら望みがありそうじゃないか」

「そうらしいね」

「となると、地位を危うくするようなことはしたくないよな」

「そのとおり」

「命令に背くとか。誰かを怒らせるとか。明白な義務に違反するとか」

「絶対にだめだ」

「その点は了解した」ランツマンは上着のポケットからチェス・セットを出した。「俺の親父が自殺したとき、メモを残したって話はしたかな」

「確か詩だったと聞いたが」

「狂詩のたぐいだ。イディッシュ語の六行の詩で、匿名《とくめい》の女に向けて詠《うた》っている」

「ほほう」

「いやいや。色っぽいものじゃない。自分が至らなかったことを悔やむというのかな。挫《ざ》折《せつ》への無念の思い。献身と敬意の告白。その女性が与えてくれた慰めと、とりわけ、その長い失意の日々に彼女がそばにいて辛さを忘れさせてくれたことへの感謝」

「あんた丸暗記してるんじゃないのか」

「していたよ。ただ引っかかる点があることに気がついたから、むりやり忘れることにした」

「何に気がついたんだ」

カルシナー夫人が戻ってきたので、ランツマンは答えなかった。運ばれてきたのは六個の茹で卵で、殻を剝《む》き、皿の六つの丸いくぼみに立ててある。くぼみは卵の底の部分にちょうど合う大きさだ。塩と胡椒、それに瓶入りのマスタードが添えてあった。

「あの紐《ひも》をはずしてやったら」とベルコは犬のヘルシェルを親指で示す。「サンドイッチか何か食いにいくんじゃないか」

「あの子は紐が好きでね。繋《つな》がれてないと眠れないのよ」カルシナー夫人はそう言ってまた歩み去る。

「どうも気になってしかたがない」ベルコはヘルシェルを見て言った。

「言いたいことはわかる」

ベルコは卵に塩をふってかぶりつく。卵の白い膚に歯型が残った。「で、その詩のことだが」

「ああ。当然、親父が語りかけている相手はうちの母親だと、みんなは思ったわけだ。うちの母親のことで始まっていると」

「詠われている内容がちょうど合うと」

「それが大方の意見だった。だから俺は自分が気づいたことを誰にも話さなかった。この謎解《なぞと》きが、刑事としての俺の最初の事件だったわけだが」

「で、気づいたこととは」

「六行ある詩の、それぞれの行の最初の文字をつなげると、名前になるんだ。カイーサという名前に」

「カイーサ？　何語の名前だ」

「ラテン語じゃないかと思う。カイーサというのはチェス愛好家たちの女神だよ」

ランツマンは、コルチャック広場のドラッグストアで買った携帯用チェス・セットの蓋を開いた。駒《こま》は最前ベルコのアパートメントで穴に差して並べたとおりに残っている。自称エマヌエル・ラスカーが残した配置。あるいは殺人者が残した配置。あるいはチェス愛好家たちの女神カイーサが、幸薄い崇拝者の一人に別れを告げるために立ち寄ったときに残した配置だ。黒は歩兵《ポーン》が三つ、騎士《ナイト》が二つ、僧正《ビショップ》が一つ、城《ルーク》が一つ。白はポーン以外のすべての駒と、ポーンが二つ残っており、ポーンの一つはあと一手で好きな駒に昇格《プロモーション》できる位置にある。何か奇妙な印象を与える無秩序な盤面で、ここに至ったゲームの過程はよほど混沌《こんとん》としたものだったのではないかと思えた。

「これがほかのゲームだったら」ランツマンは言い訳する仕草で両方の手のひらを上に向けた。「カードとか、クロスワード・パズルとか、ビンゴだったら、べつにどうでもいいんだが」

「わかるよ」とベルコは言った。

「これは途中でやめたチェスの対戦だ」

ベルコは盤の向きを変えて、ほんの何秒か眺め、眼をあげてランツマンを見た。大きな黒い瞳《ひとみ》が、〝さあ、訊きたいことを訊いてくれ〟と告げる。

「それでだ。さっきから言っているとおり、おまえの協力が必要なんだ」

「いや。そんなことはないはずだ」とベルコ。

「われらがボスの話を聞いただろう。例のファイルに迷宮入りのシールを貼《は》るのを見ただろう。あれがそもそものきっかけだ。ビーナがあの決定を正式のものにしたことが」

「あんたはそう思ってないだろ」

「頼む、ベルコ。少しは俺の判断力に敬意を表してくれ」

ベルコは犬にじっと視線を据えていた。それから唐突に立ちあがり、木製のステージへ足を運んだ。こもった靴音を立てて三段の段差をのぼり、ヘルシェルを見おろした。匂《にお》いを嗅《か》がせようと手を差し出す。犬はお坐《すわ》りの姿勢に戻り、ベルコの手の甲の情報を鼻で読む。赤ん坊、ワッフル、一九七一年型シヴォレー・シェヴェルの車内。ベルコは犬のそばへずしりと重々しくしゃがみ、首輪から紐をはずした。大きな両手で犬の頭をつかんで、眼を覗きこむ。「もう腹いっぱいらしい。こっちへは来ないよ」

犬は、まるで今の言葉に心から関心を抱いたかのようにベルコを見た。それから四肢を伸ばして立ち、足を引きながら段差まで行って、慎重に降りた。それから爪《つめ》の音を立ててコンクリート床を横切り、ランツマンのいるテーブルへ行って、今のは本当かと尋ねるかのように顔をあげた。

「ほんとに本当《エメス》だよ、ヘルシェル」とランツマンは犬に言った。「歯の治療の記録を調べたんだ」

犬はそのことを考えるようなそぶりをする。そしてランツマンが驚いたことに、玄関へ歩きだした。ベルコがランツマンに、だから言ったろう？　という非難の顔を向けた。ビーズのカーテンのほうをちらりと見てから、スライドボルト錠を滑らせ、鍵《かぎ》を回して、ドアを開けた。犬はいかにも用事がありそうな様子でさっと出ていった。

ベルコは、輪廻《りんね》の輪から一つの魂を解放してきたかのような顔で、テーブルに戻ってきた。「ボスが言ってたろ。俺たちには九週間あるって」とベルコは言った。「それはおよその期間だ。せっせと働いてるふりをしながら、あんたのドヤで死んだヤク中のことを調べて、一日か二日むだにするくらいの余裕はあるさ」

「おまえのところはまた子供が生まれる」とランツマンは言った。「五人家族になるんだ」

「わかってるよ」

「つまり、当局がグリーンカードの申請を拒否する理由を見つけたら、シェメッツ家の五人が困るということだ。警官の場合、拒否事由の中には、上司の命令に背いたことも含まれる。まして警察本部の方針を無視するなどはもってのほかだ。どれだけ馬鹿げた軟弱な方針だろうとな」

ベルコは瞬《まばた》きをして、また一つトマトのピクルスを口に入れた。それを噛《か》み、ため息をつく。「俺にはきょうだいがいない。いるのはいとこだけだ。いとこのほとんどはインディアンだが、連中は俺とつき合いたがらない。あとはユダヤ人のいとこが二人だが、そのうち一人は、もうこの世にはいない。残るはあんた一人というわけだ」

「恩にきるよ、ベルコ」とランツマンは言った。「本当に」

「糞みたいなことを《ファック・ザット・シット》」とベルコは英語で返した。「まずは〈アインシュタイン〉へ行くんだろ」

「ああ。そこから始めるのがいいと思う」

　席を立ってカルシナー夫人に勘定を払う前に、玄関のドアががりがり引っ掻《か》かれる音がし、低く長いうめき声がした。まるで人間の声のようで、淋《さび》しい響きがあって、ランツマンはうなじの毛が逆立つのを覚えた。玄関へ行ってドアを開けてやると、犬はまたステージに戻った。自分が居場所にしていることで塗料が剝《は》げている場所にお坐りをし、もう吹かれないクラリネットの音を聞きとろうと耳を立てた。そして紐がまた首輪に繋がれるのを辛抱強く待った。

10

ペレツ通りの北端はコンクリート板の壁と、鉄柱と、防寒を目的とした二重ガラスのアルミサッシ窓の街だった。市街中心部《ウンターシュタート》のこのあたりの建物が建てられたのは五〇年代初頭だが、ホロコーストの生還者が急ごしらえしたものは一種の高貴な醜悪さを備えていた。今見られるのは経年劣化と空室率の上昇による醜悪さだけだ。窓ガラスの内側に紙が貼られた空き店舗。一九一一番地の建物の一階は、ランツマンの父親もよく出席した〈エデルシュタット協会〉の会合が開かれた場所だが、その後は化粧品の量販店になり、ショーウィンドーの中でせせら笑いを浮かべたフラシ天のカンガルーが、〝死ぬ気でオーストラリアをめざせ〟と書かれたボール紙のカードを持っていた。一九〇六番地に立つ〈アインシュタイン・ホテル〉は、開業当時にある機知に富んだ御仁が評したとおり、水槽の中におさめた二十日鼠《はつかねずみ》の飼育かごといった趣がある。ここはシトカの自殺の名所だ。また慣習と契約によって、〈アインシュタイン・チェス・クラブ〉の本拠地にもなっていた。

一九八〇年にサンクトペテルブルクで開催された世界チェス選手権で、メレフ・ガイスティックという〈アインシュタイン・チェス・クラブ〉のメンバーが、オランダのヤン・ティマンを破って優勝した。万国博覧会の記憶もまだ新しかった当時、シトカの住民はガイスティックの勝利をユダヤ人の優秀さのさらなる証拠とみなしたものだ。ガイスティックは癇癪《かんしゃく》持ちで、憂鬱《ゆううつ》質で、支離滅裂な言動を示すところがあったが、そうした欠点も祝賀気分の中で大目に見られていた。

ガイスティックの勝利の一つの成果は、〈アインシュタイン・ホテル〉から舞踏室の無償使用がチェス・クラブに認められたことだった。ホテルでの結婚披露宴はもう流行《はや》らないし、経営陣はカフェから素人《しろうと》チェス愛好家たちの呟《つぶや》きと煙草《たばこ》の煙を一掃したがっていた。ガイスティックの偉業は経営陣に格好の口実を提供した。舞踏室の正面入口は封鎖されて裏通りに面した入口だけから出入りできるようになった。床の上等なトネリコの寄せ木は剝がされ、かわりに煤色《すすいろ》と胆汁色と手術着の緑色からなる市松模様のリノリウムが敷かれた。モダンなシャンデリアは高いコンクリートの天井にボルトで留められた蛍光灯にとってかわられた。その二ヵ月後、若き世界チャンピオンは、かつてランツマンの父親も通ったカフェにふらりとやってきて、奥のボックス席に坐り、コルト三八口径ポリス・スペシャルを口に突っこんで引き金を引いた。ポケットには遺書が入っていた。そこにはただ、〝昔のほうがよかった〟とだけ書かれていた。

「エマヌエル・ラスカーか」ロシア人がチェス盤から顔をあげて、二人の刑事にそう言った。チェス盤は廃刊になった《ブラット紙》の広告が入った古いネオン管時計の上に置かれていた。骸骨《がいこつ》のように痩《や》せた男で、皮膚は薄く、ピンク色で、所々すりむけている。顎《あご》には尖《とが》った黒い鬚《ひげ》。眼は間隔が狭く、冷たい海水の色だ。「エマヌエル・ラスカーねえ」ロシア人は肩をすくめ、頭を低くした。胸郭が厚みを増し、狭まった。笑いだすように見えたが、声は出てこなかった。「彼がここへ来ることを願うね」ロシア系移民が話すイディッシュ語はたいていそうだが、少々不自然で、ぶっきらぼうだ。ランツマンは誰かに似ていると思った。が、誰だかはわからない。「そしたらこてんぱんに負かしてやる」

「ラスカーの対戦を見たことはあるの」ロシア人の対戦相手が訊いた。頬のふっくらした若い男で、縁なし眼鏡をかけ、顔色はドル紙幣の白い部分のように緑がかっている。ランツマンに眼を向けてきたとき、眼鏡のレンズが氷結したように白く光った。「ねえ、対戦を見たことはあるの、刑事さん」

「念のために言っておくと」とランツマンは言った。「今訊いているのはあのラスカーのことじゃないんだ」

「問題の男はエマヌエル・ラスカーって名前を偽名に使ってた」とベルコが言い添える。

「でなきゃ、俺たちは六十年前に死んだ人間のことを調べてることになる」

「ラスカーの指し方を今の眼で見ると」と若い男は続けた。「複雑すぎるんだよね。なんでも難しくしてしまうんだ」

「きみにとって複雑すぎるように見えるだけさ、ヴェルヴェル」とロシア人は言う。

「きみが単純なせいで」

二人の刑事が中断させたゲームは興趣つきせぬ中盤戦で、白を持つロシア人は、ナイトを一つうまく配置して難攻不落の前哨地をつくっている。二人は吹雪の中で吹きだまりにはまるように、まだゲームにはまりこんでいる最中だ。だから当然の反応として、対戦をわきから見てあれこれ口出しする人間に対するのと同じく、冷やかな軽蔑《けいべつ》をもって二人の刑事を遇した。ランツマンは対戦が終わるのを待ってから事情聴取をやり直すほうがいいだろうかと考えた。だが、ほかにも対戦中のプレーヤーが何組もいて、彼らにも話を聞かなければならない。古い舞踏室のあちこちで、靴がリノリウムをこする音が、黒板を爪で引っ掻くような響きを立てる。駒が置かれるカチリ、カチリという音は、自殺した世界チャンピオンが使った三八口径のシリンダーが回転する音のようだ。男たちは――女は一人もいなかった――自嘲の呟きや、冷たい笑い、口笛、わざとらしい咳《せき》払《ばら》いなどで、たえず相手の思考を邪魔しようとする。

「はっきり言っておくが、俺たちがエマヌエル・ラスカーと呼んでいる男は、一八六八年にプロイセンで生まれた有名な世界チャンピオンのことじゃない。この男が死んで、俺たちは捜査をしている。俺たちは殺人課の刑事だ。そのことはさっき言ったが、あんたらには印象が薄かったようだな」

「そのラスカーはブロンドのユダヤ人だ」とロシア人が言う。

「そばかすがある」とヴェルヴェルがつけ加える。

「ほら、俺たちはちゃんと話を聞いてるだろ」ロシア人は誰かの襟についた毛髪をつまみとるすばやさで、自分のルークをつまみあげた。前方へすっと運んで、相手のビショップに凶報をもたらす。

ヴェルヴェルがイディッシュ訛《なま》りのロシア語を口にした。対戦相手の母親と立派な持ち物にめぐまれた種馬との親密な関係をほのめかす言葉だ。

「俺は孤児《みなしご》だよ」とロシア人は返す。

それから、若い男がビショップの喪失から精神的に立ち直るのを待つように、椅子《いす》の背にもたれた。腕組みをして、手を腋《わき》の下にはさむ。禁煙の場所で煙草を我慢するときの姿勢だ。ランツマンは、存命中に〈アインシュタイン・チェス・クラブ〉が禁煙になっていたら父親はどうしたろうと考えた。父親は一つの対戦でブロードウェイをひと箱吸ったものだ。

「ブロンドに、そばかす」ロシア人は急に協力的な態度を見せはじめた。「ほかに特徴は?」

ランツマンは貧弱な手札をざっと調べて、どのカードを切るか考えた。「チェスの研究をやっていただろうと思うんだ。歴史とかね。ジークベルト・タラッシュの本を持っていた。それにああいう偽名も使っていた」

「鋭い推理だね」ロシア人はいかにも口先だけの口調で言った。「超高給とりの名刑事コンビってやつか」

ランツマンはさほど腹を立てなかったが、この減らず口を叩《たた》く皮むけのロシア人のことは記憶に残りそうだと思った。「それからたぶん、ある時期には」ランツマンは記憶をたぐりながら、ロシア人を見据えて、さっきよりもゆっくりと言う。「被害者は敬虔《けいけん》なユダヤ教徒だったらしい。ハシディズム派だ」

ロシア人は腋の下から手を出した。背を起こして椅子に浅く坐り直す。凍ったバルト海のような眼がいっきに溶けたように見えた。「ペイ中だったのか」それはほとんど質問の調子ではなかった。ランツマンに否定する気配がないと見ると、「フランクか」と続けた。〝r〟を巻き舌にせず、〝ラン〟を長く伸ばすアメリカ流の発音だ。

「フランクだね」とヴェルヴェルも同意する。

「あの男は――」ロシア人は急に肩を落とし、膝《ひざ》を広げて、両手をわきにだらりと垂らした。「刑事さん、一つ言っていいかな。その、こういう言い訳をするのはほんとに嫌なんだが」

「フランクのことを話せよ」とベルコが言った。「おまえ、その男が好きだったんだろ」

ロシア人は肩を怒らし、また眼に氷を張った。「最近は好きじゃなかった。ただ、フランクがここへ入ってきたときは、俺は少なくともギャッと叫んで逃げ出したりはしなかった。あれは面白い男だった。顔はよくないが、渋い声をしてたな。立派な声だった。ラジオの上品な音楽を流す番組でナレーションをやる男みたいな。ほら、夜中の三時にショスタコーヴィッチがどうとか言ってるだろ。ああいう渋い声でしゃべるんだが、面白い男だった。いつもこう、ちょっと誰かを批評するようなことを言うんだ。髪型がどうとか、ズボンが野暮ったいとか、ヴェルヴェルは自分の女房のことを言われるといつもびくっとするとか」

「確かに」とヴェルヴェルは言った。「それはほんとだな」

「いつも人をからかうんだ。でも、なぜか知らないが、腹は立たないんだよ」

「なんかこう――自分にはもっと厳しいみたいな感じがあってね」

「あの男と対戦すると、いつも負かされるんだが、それでもほかのまぬけなメンバーとやるときより、自分がいいゲームをしたような気がするんだ」とロシア人は言った。

「フランクはまぬけじゃなかった」

「マイヤー」とベルコが小声で言い、眉《まゆ》の動きで隣のテーブルを示した。聞き耳を立てている男たちがいた。

ランツマンはそちらを見た。二人の男が対坐《たいざ》して、序盤戦を戦っていた。一人は上着もズボンも今風だが、顎鬚をもじゃもじゃ生やしたルバヴィッチ派（ハシディズム派の一派）のユダヤ人だった。その顎鬚は芯《しん》の柔らかい鉛筆で塗りつぶしたようにまっ黒で濃密だ。黒い髪の上には黒いベロア地に黒い絹で縁取りをしたヤムルカがピンでしっかりと留めてあった。濃紺のオーバーと青い中折れ帽は、背後の鏡張りの壁にとりつけたフックにかけてある。オーバーの裏地と帽子のラベルが鏡に映っていた。眼の下には疲労の隈《くま》ができている。眼は熱がこもっているものの、牛の眼のように鈍重で悲しげな感じがする。対戦相手はヴェルボフ派のユダヤ人で、長い衣とズボン、白い靴下にサンダル。膚《はだ》は本の余白のように白い。黒い皿に黒いケーキを載せたような帽子は膝の上に載せている。ヤムルカは縫いつけられたポケットのように髪の短い頭にぺたりと貼《は》りついている。すれっからしの刑事の眼を持たない者が見れば、二人はほかのメンバーと同じように、面白さのオーラを放つチェス盤に引きこまれているように見えるだろう。だが、ランツマンは、百ドル賭《か》けてもいいが、二人とも次が誰の番かすらわからなくなるほど気もそぞろだと踏んだ。最前からこちらの会話を一言も洩《も》らさないように聞き耳を立てており、今も耳は立ちっぱなしだ。

　ベルコはロシア人とヴェルヴェルの隣のテーブルへ行った。そこは空いていた。籐《とう》編みの座面が破れた曲げ木の椅子を一つひょいと持ちあげ、ロシア人がヴェルヴェルを撃滅しつつあるテーブルをはさんだ反対側の、ハシディズム派の男二人の席へ運んでいった。大男らしくどさりと坐《すわ》り、股《また》を開いて、コートの裾《すそ》をうしろへぱっとはねのける。さあ、おまえらをみんな食ってやるぞといった姿勢だ。自分の帽子の山をつかんで、脱いだ。先住民独特の艶《つや》やかな濃い髪には最近白いものが混じりはじめていた。白髪はベルコをより賢く親切な男に見せている。実際に賢くて親切なのだが、荒っぽく出るのをためらわない男でもある。曲げ木の椅子はベルコの尻《しり》の巨大さに不安のうめきを洩らしはじめていた。

「やあ！」とベルコは二人のハシディズム派の男に言った。両手をこすり合わせたあと、指を広げて膝に置く。あとはナプキンを喉元から垂らし、ナイフとフォークを持てば、二人を平らげる準備は完了だ。「調子はどうだい」

大根役者のこてこて演技も顔負けの挨拶《あいさつ》に、二人はびっくりして顔をあげた。

「面倒は嫌ですよ」とルバヴィッチ派が言った。

「それはイディッシュ語で俺が一番好きなフレーズだ」とベルコはまじめな調子で応じた。「さあ、今こっちでやってる議論に参加してみようか。フランクのことを話してくれ」

「そんな人知らないな」とルバヴィッチ派が言う。「フランクなんて」

ヴェルボフ派のほうは黙っている。

「そちらのヴェルボフ派の青年」ランツマンは穏やかに声をかけた。「あんたの名前は」

「僕はサルティール・ラピドゥス」とヴェルボフ派は答えた。眼元が女性的で、内気な印象だ。膝に載せた帽子の上で手を組み合わせている。「なんにも知りませんよ」

「そのフランクと手合わせしたことはないかな。知り合いじゃなかったのか」

サルティール・ラピドゥスは急いで首を振る。「いいえ」

「いや」とルバヴィッチ派が言った。「私らは知ってましたよ」

ラピドゥスが対戦相手を睨《にら》み、ルバヴィッチ派は眼をそらす。ランツマンはこの背景を推測した。チェスは、ほかのゲームとは違って、ハシディズム派のユダヤ人にも安息日に愉《たの》しむことが許されている。とは言っても、〈アインシュタイン・チェス・クラブ〉はまぎれもなく世俗的な活動を行なうクラブだ。金曜日の朝にゲームを愉しもうと誘ったのはルバヴィッチ派のほうだったのだろう。夕方から安息日が始まるのだから、本当は宗教的な儀式やその準備など、やるべきことがあるにもかかわらずだ。ルバヴィッチ派は、大丈夫だ、チェスをしたってべつに害はないと説得したに違いない。それがこのざまだ、とヴェルボフ派は言いたいのだ。

ランツマンは興味をそそられた。ある種、感動すら覚えた。彼自身の経験から言うと、友情が教派の違いを越えることは、そうあるものではない。以前そのことに気づいて感心したのだが、同性愛をべつにすれば、チェスほど男どうしを強く結びつけるものはない。男と男というのは、基本的に闘争し合う関係にあるものだが、その闘争を暴力を伴わない遊戯に変えてしまうのだ。

「確かにここで会ったことがありますよ」ルバヴィッチ派は、怖がらなくていいとなだめるかのような眼つきで友達を見つめながら言った。「そのフランクという男にはね。一、二度、対戦したこともあったと思います。私の意見では、ものすごく才能のあるプレーヤーでしたよ」

「おまえと比べればな、フィッシュキン」とロシア人が言った。「猿だってラウル・カパブランカ級の天才だろうよ」

「あんたも」とランツマンは平静を保った声でかまをかけた。「フランクというヘロイン中毒者を知っていたんだな。どういう知り合いだったんだ」

「ランツマン警部」ロシア人はなかば咎《とが》めるような口調で言った。「俺のことは覚えてないのかな」

なんとなく知っている男のような気はしていた。が、今初めてはっきり思い出した。

「ヴァシリー・シトノヴィツァーか」とランツマンは言った。ずいぶん昔――あれからもう十数年たつだろう――その名前の若いロシア人を、ヘロイン密売の共謀者として逮捕したことがあった。シトノヴィツァーは当時、移住してきたばかりだった。もともと前科者だったが、祖国である第三ロシア共和国が崩壊したときの混乱で犯罪歴が消えてしまっていた。ブロークンなイディッシュ語を話す、眼と眼のあいだが狭い、ヘロインの売人。「それじゃ、最初から俺とわかっていたわけだ」

「あんたは男前だ。忘れられないさ」とシトノヴィツァーは言った。「服のセンスもいいしな」

「この男はブティルカで長いお勤めをしたことがあるんだ」とランツマンはベルコに説明した。ブティルカはモスクワにある悪名高い刑務所だ。「なかなか気のいい男でね。ここのカフェの厨房《ちゅうぼう》を基地にして麻薬を売っていた」

「フランクにヘロインを売ってたのか」とベルコはシトノヴィツァーに訊《き》く。

「いや、もう引退してたから」シトノヴィツァーはかぶりを振った。「ワシントン州エレンズバーグの連邦刑務所に六十四ヵ月食らいこんでね。あそこはブティルカよりひどかった。そのあとはヤクに触ってもいないんだ。信じてくれ、刑事さんたち。かりにまだ売人をやってたとしても、フランクには売らなかったよ。俺もいかれてるが、頭はおかしくないからね」

ランツマンは車が路面の穴を踏み、タイヤがロックして横滑りを起こしたときのような感覚を覚えた。手がかりが見つかった。

「どうして」とベルコは隠やかで慎重な口調で訊いた。「フランクに麻薬を売ると、なぜ犯罪者であるだけじゃなく、頭もおかしいことになるのかな、シトノヴィツァー」

カチリという小さな音が、はっきりと聞こえた。入れ歯が嚙《か》み合わさるような、幾分こもった音。ヴェルヴェルが自分のキングを横に倒していた。

「降参だ」ヴェルヴェルは眼鏡をはずして胸ポケットに入れ、腰をあげた。そして人と約束してあるのを忘れていたと言った。仕事に遅れるとも言った。母親が呼んでいるとも言ったが、おそらく政府がユダヤ人の母親全員に支給している超音波通信装置で、食事の用意ができましたよと呼ばれたとでもいう気だろう。

「坐ってろよ」とベルコはそちらを見もせずに言った。若者は坐った。

シトノヴィツァーが腸に差し込みを覚えた。ランツマンにはそう見えた。

「悪運がついてたんだよ」

「悪運ね」ランツマンは疑いと失望をあらわにした。

「コートを着るみたいに身についてたんだ。頭に悪運という帽子をかぶってたと言ってもいい。それはものすごい悪運で、あの男には触りたくもないし、近くの空気を吸うのも嫌だった」

「一度、あの男が同時に五つの対戦をやるのを見たよ」とヴェルヴェルが打ち明けた。「それぞれ百ドルずつ賭《か》けて。それに全部勝ったんだ。そのあと、あの男が路地で吐くのを見た」

「刑事さんたち、もう勘弁してくださいよ」とサルティール・ラピドゥスが弱音を吐いた。「僕ら無関係なんだから。あの男のことは何も知らないですよ。ヘロインだの。路地で吐いただの。なんかもう気持ち悪くて」

「うんざりだね」とルバヴィッチ派の男も言葉を加える。

「気の毒だとは思います」とラピドゥスは結論づけるように言った。「でも、お話しすることはなんにもない。だから、もう行っていいでしょ」

「もちろんだ」とベルコが答えた。「行っていいぞ。ただし、その前に名前と連絡先を書いていってくれ」

ベルコは本人が手帳と呼ぶものを出した。小さな紙片を厚く重ねて特大のペーパークリップで留めたものだ。その時々によって、名刺や潮汐表《ちようせき》、やるべきことのリスト、イギリス国王を時代順に書き出した表、午前三時に書きつけた所感、五ドル札、レシピの走り書き、売春婦が殺された路地の見取り図を描いたカクテルナプキンなどが一緒に束ねてある。その束をめくり、白紙のインデックスカードを一枚見つけると、それをルバヴィッチ派のフィッシュキンに渡した。次いで鉛筆も差し出したが、フィッシュキンは自分のペンを持っているからと辞退した。フィッシュキンが名前と住所と携帯電話の番号を書き、紙をラピドゥスに回すと、ラピドゥスもそれにならった。

「でも」とフィッシュキンは言った。「電話は困りますよ。うちへも来ないでくださいね。お願いします。話すことは何もないですから。あのユダヤ人のことで私らに話せることは何一つないんです」

シトカ特別区の警官はみな、ハシディズム派の沈黙が侮《あなど》れないことを知っている。一つの返答の拒否はどんどん広がり、結集し、深く浸透し、ついには霧となってハシディズム派の地区全体を覆《おお》ってしまう。彼らは法技術にたけた弁護士軍団や政治的影響力や騒ぎ立てるのがうまい新聞を使い、不運な捜査主任や、ときには本部長までを騒動に巻きこみ、ハシディズム派ユダヤ教徒の目撃者や容疑者の解放や起訴取り下げを勝ちとるまで引きさがらない。ランツマンがもしラピドゥスやフィッシュキンに圧力をかけようとするなら、警察本部全体の支援、または最低限、殺人課課長の承認が必要となる。ランツマンがベルコをちらりと見ると、ベルコはごく小さく首を振った。

「行けよ」とランツマンは言った。

ラピドゥスは、便意との戦いに敗れた人のようにそろそろと立ちあがった。誇りを傷つけられたことをアピールしながらコートを着、オーバーシューズをはく。マンホールの蓋を閉めるように鉄のかたまりみたいな黒い帽子をゆっくりと頭の上におろしていく。それからフィッシュキンが朝の対局を中止させられた駒《こま》を蝶番《ちようつがい》つきの木箱におさめるのを悲しげな眼で見つめた。二人のハシディズム派ユダヤ人は左右に並び、テーブルのあいだを歩いていく。それらのテーブルについているほかのメンバーたちは二人を見送った。入口にたどり着く少し前、ラピドゥスの左脚が、いっきにゆるめたギターの弦のようになった。がくりと膝《ひざ》を折ったラピドゥスは、身体《からだ》を支えようと片手を連れの肩にかけた。床は滑らかで、障害物はない。ランツマンが見た範囲では躓《つまず》くようなものは何もなかった。

「あんな悲しそうな顔のユダヤ人は初めて見た」とランツマンは言った。「今にも泣きだしそうだったな」

「もう一ぺん押してみたいか」とベルコが訊く。

「一、二センチほどね」

「ま、あの二人は押せてもせいぜい一、二センチだろうがな」

ランツマンとベルコも急ぎ足で歩き、チェス愛好家たちのわきを通り抜ける。シトカ・オデオンの身なりのだらしないバイオリニスト、バス停留所の広告に写真が出ている足治療士がいた。ベルコがラピドゥスとフィッシュキンの出ていったすぐあとのドアを勢いよく開けて外に出る。ランツマンもあとに続こうとして、ふとあるものが記憶を刺激するのを覚えた。今ではもう誰も使わないブランドのアフターシェーブローションのかすかな匂《にお》い。二十五年前の八月頃にそこそこ流行《はや》っていたある歌の賑《にぎ》やかなコーラス。ランツマンはドアに一番近いテーブルのほうへ向き直った。

一人の老人が拳《こぶし》のように丸い姿勢でチェス盤を包みこむように坐り、無人の椅子と向き合っていた。駒をゲーム開始の位置に並べ、コインでも投げたか、単にそう決めたのか、自分を白にしている。誰か相手が現われるのを待っているのだろう。光る禿《は》げ頭をポケットの中の糸屑《いとくず》のような白髪がしょぼしょぼとりまいている。顔の下半分は、頭の鉢で隠れていた。ランツマンに見えるのは、窪《くぼ》んだこめかみと、ふけのついた髪の光輪、骨ばった鼻梁《びりょう》、パイ生地をフォークで引っ掻《か》いたような額の皺《しわ》だけだ。極端な猫背で、盤上の詰めチェス《チェス・プロブレム》の配置を睨んで、秀逸な戦闘計画を練っているという風情《ふぜい》。幅の広い肩は、英雄か、ピアノ運搬人のそれだった。

「リトヴァクさん」とランツマンは声をかけた。

老人は、画家が筆を選ぶような手つきでキング側のナイトを選んだ。手は頑丈そうで、まだ敏捷《びんしょう》だった。駒は弧を描いて盤の中央寄りへ進む。昔から超モダンな手筋を好む人だった。レティ・オープニングとリトヴァクの手を見ていると、ランツマンは、かつてのチェスへの嫌悪《けんお》がぶり返すのを覚えて、ぶっ倒れそうになった。〈アインシュタイン・ホテル〉のカフェでチェス盤に向かい、父親を深く悲しませた日々の、あの退屈と苛立《いらだ》ちと恥辱の念。

もう少し大きな声で言った。「リトヴァクさん」

老人は怪訝《けげん》そうに細めた眼をあげた。アルター・リトヴァクは胸板の厚い、殴り合いの喧嘩《けんか》に向いた肉体の持ち主であり、猟師と漁師と兵士を経験してきた男だ。リトヴァクが駒に手を伸ばしたとき、アメリカ陸軍レインジャー部隊の大きな金の指輪に稲妻がひらめいた。今の彼は、呪《のろ》いによって暖炉の灰の中で永遠に暮らすはめになったおとぎ話の王様のように、身体が縮んでしまっている。アーチ形にせり出した鼻だけが、以前の立派な面貌《かお》の名残だ。残骸《ざんがい》のような老人を見ていると、ランツマンは、自分の父親も、かりに自殺していなくても、もうとっくに死んでいただろうという気がした。

リトヴァク老人は、苛立ちの手ぶり、ないしは手招きをした。胸ポケットから黒い大理石模様の表紙のはぎとり式メモ帳と、太い万年筆を出す。以前と同じようにきれいに刈りこまれた顎鬚《あごひげ》。千鳥格子《ごうし》のブレザーに飾り革のついたデッキシューズ、胸のポケットチーフ、襟の中に入れたスカーフ。スポーツマン風の雰囲気は失ってはいない。皺の多い喉《のど》には光沢のある傷痕《きずあと》が一つ、ピンクがかった白いコンマのように見えている。ウォーターマンの大きな万年筆でメモ帳に何か書きこむあいだ、大きな鼻からは苦しげな息がほとばしり出る。今や万年筆のペン先が声のかわりなのだろう。老人はメモ帳を差し出した。字はしっかりとして明瞭《めいりょう》だった。

〝あんたはわしの知り合いか〟

リトヴァク老人の眼つきが鋭くなった。首を傾け、ランツマンを上下に見た。皺だらけのスーツ、ポークパイハット（てっぺんが平らなフェルトの帽子）、犬のヘルシェルに似た顔。知っているのだが、誰だかわからないという表情だ。老人はメモ帳を取り戻し、先ほどの文章に一語加えた。

〝あんたはわしの知り合いか、刑事さん〟

「マイヤー・ランツマンですよ」ランツマンは老人に名刺を渡した。「父をご存じだったでしょう。私も一緒にときどきここへ来ました。クラブがまだカフェにあった頃ですが」

縁の赤い眼が大きく見開かれた。驚きと嫌悪が混じる表情で、リトヴァク老人はランツマンの顔をまじまじと見て、そのありえないことが本当である証拠を探した。それからメモ帳の紙を一枚めくり、観察の結果を書きつけた。

〝まさか、あのマイヤー・ランツマンが、こんな小太りの中年男であるはずがない〟

「でも、残念ながらそうなんです」とランツマンは言った。

〝チェスのへたなきみが、こんなところで何を〟

「あの頃はまだ子供でしたからね」ランツマンはそう答えながら、自分の声に自己憐憫《れんびん》の響きを聞きとってぞっとした。「リトヴァクさん、ご存じないですかね。ここでときどきチェスをしていた男で、たぶんフランクと呼ばれていたユダヤ人のこと」

〝知っているよ。何かやったのかね〟

「その男のことはどの程度よく知っていますか」

〝ありがたいことによくは知らない〟

「どこに住んでいるか知ってますか。最近会ったことは」

〝何ヵ月も前だ。まさかきみは殺人課の刑事では〟

「それも」とランツマンは答えた。「残念ながらそのとおりです」

老人は瞬《まばた》きをした。今の答えに衝撃を受けたり、気落ちしたりしたのだとしても、それは表情や態度のどこにも読みとれなかった。感情をコントロールできない人間なら、そもそもレティ・オープニングで攻めることなど考えないだろう。だが、次にメモ帳に書く言葉にはかすかな動揺が表われるかもしれない。

〝過剰摂取か〟

「銃で撃たれていました」とランツマンは言った。

クラブのドアがきしりながら開き、二人のメンバーが、灰色でいかにも寒々しく見える路地から入ってきた。一人は二十歳をやっと超えたくらいのかかしのように痩《や》せた男で、手入れをした金色の顎鬚をたくわえ、小さすぎるスーツを着ている。もう一人は背の低い太った男で、黒い縮れた顎鬚を生やし、スーツは大きすぎた。二人とも髪はクルーカットだが、自分で刈ったのか虎刈《とらが》りで、どちらも鉤針《かぎばり》編みのヤムルカをかぶっていた。二人はとまどった様子で、戸口で一瞬立ちどまるとリトヴァク老人を見た。まるで叱《しか》られるのを覚悟しているといったふうだ。

やがて老人がしゃべった。言葉を呑《の》みこんでしまうような話し方で、喉の機能が不完全なため、声は幽霊の恐竜のようだった。その声が途切れてから少し間をおいて、ランツマンは老人が「甥《おい》の息子たちだ」と言ったのに気づいた。

老人は手ぶりで二人を中へ入れ、ランツマンの名刺を太ったほうの男に渡した。

「どうも、刑事さん」と太った男は挨拶《あいさつ》した。イディッシュ語に混じるかすかな訛《なま》りはオーストラリアのものだろうか。老人と向き合う椅子《いす》に坐《すわ》り、チェス盤を見てから、自分もキング側のナイトを前に出した。「すみません、アルター伯父さん。また遅れちゃって」

痩せたほうの男は戸口にとどまり、開いたドアに手をついて立っていた。

「ランツマン！」外の路地からベルコの叫び声が届いてきた。ベルコは大型ごみ収容器のそばでフィッシュキンとラピドゥスを引きとめていた。ラピドゥスが子供のように喚《わめ》いているようだ。「何やってんだ」

「今行く」とランツマンは答えた。「それじゃこれで、リトヴァクさん」老人の骨と皮ばかりの手をほんの短いあいだ握る。「もう少しお話を伺いたいときの連絡方法を教えてもらえますか」

老人はメモ帳に住所を書いて、その紙をはぎとった。

「マダガスカルですか」ランツマンはマダガスカルの首都タナナリヴにある、どんなところか想像もつかない通りの名を読んだ。「こういうのは初めて聞きましたよ」その遠い国のジャン・バール通りという住所を眺め、そこに建っているはずの家のことを考える。フランク殺害事件の捜査の前途を思うと眩暈《めまい》がしてきた。かりに犯人を捕まえたとして、それがなんになるだろう。一年後には、ユダヤ人の多くはアフリカの住人になり、この舞踏室はダンスパーティに興じる非ユダヤ人でいっぱいになる。シトカの警察が捜査した事件は、解決したものも未解決のものも、まとめて九番キャビネット行きになるのだ。「出発はいつですか」

「来週です」と太ったほうの若い男が、どうなるかは怪しいけれどという口調で答えた。

老人はまた恐竜のような声を出したが、誰にも理解できなかった。そこでメモ帳に書きこんで、それを太った男のほうへ滑らせた。

「〝人は計画を立てる〟」と若者は読みあげた。「〝そして神はお笑いになる〟」

11

比較的若いハシディズム派のユダヤ人は、警察に逮捕されると、居丈高に怒り、アメリカ合衆国の法によって保護される人間として当然の権利を主張することがある。あるいは気持ちがくじけて、泣きだすこともある。ランツマンの経験によれば、自分は正しい人間であり、安全を保障されているという感覚に長らく慣れていたのに、じつは以前からずっと足の下に深淵《しんえん》がぽっかり開いていたのだと気づいたとき、人間は泣きだすようだ。床に開いた深い穴を覆っているカーペットを、いきなり引きはがすことも、警官の仕事に含まれている。サルティール・ラピドゥスは今まさにカーペットを足の下から引き抜かれた気分なのだろうか、とランツマンは考えた。涙が頬をつたい、右の鼻の穴から鼻水が垂れて光っている。

「ラピドゥス君は今ちょっと悲しい気分らしいが」とベルコが言った。「理由を話してくれないんだ」

ランツマンはコートのポケットに手を入れてポケットティッシュを探し、奇跡的に一枚だけ残っている包みを見つけた。ラピドゥスは一瞬ためらったあと、それを受けとり、洟《はな》をかんだ。

「ほんとにあの男のことは知らないんですよ」とラピドゥスは言った。「どこに住んでるのか、どういう人間なのか。なんにも知らない。命に賭《か》けて誓います。チェスは何回かやりましたよ。いつもあの男が勝ちました」

「すると悲しんでいるのは、同じ人間としての同情からなんだね」ランツマンは皮肉な調子になるまいと努めた。

「まさにそれです」ラピドゥスはティッシュを丸め、そのくしゃくしゃの花を道端に棄《す》てた。

「自分たち、逮捕されるんですか」とフィッシュキンが訊《き》く。「もしそうなら、弁護士を呼びます。逮捕しないんなら、もう行かせてください」

「ハシディズム派の黒帽子をかぶった弁護士どのか」ベルコはランツマンに泣きつくように言った。「ああ、悲しいかな！」

「もう行っていい」とランツマンは言った。

ベルコが二人に向かってうなずいた。二人の男は路地の水溜《みずたま》りを派手にはねながら歩み去った。

「どうも苛つく」とベルコは言った。「間違いなくこの事件にはイラッとさせるところがあるよ」

ランツマンはうなずき、顎の不精髭《ぶしょうひげ》をぼりぼり掻いた。深く推理をめぐらす風情だが、心は三十年前の、当時すでに中高年だった男たちとのチェスの対戦にあった。

「さっきの、入口近くにいた年寄りだが」とランツマンは言った。「アルター・リトヴアクといって、チェス・クラブの昔からの会員なんだ。よくうちの親父《おやじ》と対戦していた。おまえの親父さんともな」

「名前は聞いたことがある」ベルコはチェス・クラブの入口になっている鉄製の防火扉を見た。「戦争の英雄だったっけな。キューバ戦争の」

「声が出せないから筆談なんだ。また話を聞きたくなったときの連絡先を訊いたら、マダガスカルだとさ」

「そういうのは初めて聞くな」

「俺もそう言った」

「フランクのことは知ってるのか」

「よくは知らないそうだ」

「みんな知らないんだな」とベルコは言った。「ところが死んだと聞いて、みんなはひどく悲しむ」コートのボタンを留め、襟を立てて、帽子をしっかりとかぶり直した。

「おまえさんも含めてだ」

「何を言ってる。あの男はべつに俺にとってなんでもない」

「ひょっとしてロシア人かね。それならチェスが好きだったことの説明がつくぜ。ヴァシリーのあの態度もな。レベドかモスコウィッツが暗殺の黒幕だったりして」

「ロシア人なら、黒帽子の二人がなぜ怯《おび》えているのか説明がつかない」とランツマンは言った。「あの二人はモスコウィッツを知らないだろう。ロシアン・マフィアや暗黒街の暗殺なんて、普通のハシディズム派の連中にはピンと来ないはずだ」また何度か顎を掻いてから、腹を決めた。ホテルの裏の狭い路地の上に帯状に伸びる明るい灰色の空を見あげた。「今日の陽の入りは何時かな」

「なんで。まさかハーカヴィー地区へ乗りこむつもりじゃないだろうな、マイヤー。ビーナは喜ばないと思うぞ。黒帽子の連中を刺激したら」

「そう思うか」ランツマンは笑みを浮かべた。ポケットから駐車場のチケットを出した。

「それならハーカヴィー地区には近づかないほうがいいな」

「ちぇっ。また例の微笑《わら》い方をしてやがる」

「この微笑い方はお嫌いかね」

「いつもそのあと、質問をするんだ。最初から自分で答えるつもりでいる質問を」

「こういうのはどうだ。答えてみてくれ、ベルコ。若い頃から刑務所暮らしを経験してきたすれからしのロシア人の前科者が、くそを洩《も》らしそうになるほど怯えるユダヤ人ってどんなやつだ。それから、シトカの敬虔《けいけん》な黒帽子たちを泣きそうにさせるユダヤ人っていうのは」

「ヴェルボフ派のユダヤ人だと言わせたいんだろ」とベルコは答えた。警察学校を出たあと、ベルコが最初に勤務したのは第五分署だった。第五分署が管轄《かんかつ》するハーカヴィー地区は、ヴェルボフ派を含むハシディズム派ユダヤ教徒の大半が住みついた場所だ。まずは一九四八年にヴェルボフ派の九代目尊師《レベ》が、〝宮廷〟（ハシディズム派の共同体のこと）のわずかな生き残りを連れてやってきたのが皮切りだった。現在のレベは九代目の義理の息子だ。ベルコが経験したのは典型的な貧民街での勤務だった。警察と国家権力に嫌悪《けんお》と侮蔑《ぶべつ》を抱いている人々を保護する仕事。ハーカヴィー地区での勤務が終わったのは、〝〈ゴールドブラッツ酪農レストラン〉でのシャヴオス虐殺《ぎゃくさつ》事件〟の現場で心臓から五センチほどのところに銃弾を受けたせいだった。

以前ベルコは、〈ヴェルボフのハシド〉と呼ばれる宗教的犯罪組織について、ランツマンに次のように説明したことがある。この犯罪組織が生まれたのはウクライナで、もともとはほかのハシディズム派と同じように、堕落した世俗世界を軽蔑し、そこから距離を保つために、みずからの教義と儀式で想像上の隔離地区《ゲットー》の壁をつくりあげた。それから大半の構成員が〝破壊〟の火に焼かれ、どんな帽子よりも真黒な心を持つ最強硬派の中核が残ったのだ。九代目レベには、火の中から生還した十一人の使徒と、レベ自身の家族では八人いた娘のうちの六番目だけが残された。レベは紙の黒い燃えがらのように空に舞いあがり、バラノフ山脈と世界の果てである海にはさまれた細い帯のような土地まで飛ばされた。そしてそこに古風な黒帽子の分派を再興する。彼は三文小説の悪の天才よろしく分派の論理を極限まで純化した。犯罪の帝国をつくりあげ、教義の壁の外で渦巻いている無意味な混乱と、そこでうごめいている欠点だらけの腐敗しきった救われる希望のない連中から利益を吸いあげた。ヴェルボフ派が外の者たちを同じ人間とみなすのは単に大いなる寛容の精神からでしかなかった。

「もちろん、俺もあんたと同じことを考えた」とベルコは認めた。「でも、すぐに押しこめたんだ」大きな両の手を顔に叩《たた》きつけ、しばらくそこに残してから、ゆっくりと引きおろしていく。頰の肉がさがって先端が顎《あご》の下まで降り、ブルドッグの面貌《かお》をつくった。「ああ、悲しいかなだ、マイヤー。あんたはこれからヴェルボフ島へ行こうと言ってるのか」

「馬鹿こけ《ファック・ノー》」とランツマンは英語で言った。「俺はあそこが大嫌いなんだ。どうせ島へ行くなら、マダガスカルがいい」

二人は〈アインシュタイン・ホテル〉の裏の路地に立ったまま、北緯五十五度から北で最強の勢力を誇る犯罪組織を怒らせにいくべきかどうかについて、圧倒的に多い否定論の論拠と、極端に少ない肯定論の論拠を比較考量した。チェス・クラブのあの四人の奇妙な反応に対してほかの説明ができないか考えてみた。

「イツィク・ジンバリストに会うのがいいんじゃないかな」とベルコが言った。「あそこじゃほかの誰と話したって犬と話すのと同じだ。俺はもう今日は一ぺん、犬には悲しい目にあわされてるからな」

12

ヴェルボフ島は、街路が走り番地がつけられている点では確かにシトカ特別区の街だが、それを除けば、まるで別世界だった。瞬間移動によって、あるいはワームホールを通って、〝ユダヤの惑星〟へ来たようなものだ。金曜日の午後のヴェルボフ島で、ランツマンのシヴォレー・シェヴェル・スーパースポーツは、二二五号通りの黒い帽子の波を左右に見ながら走っていた。帽子はフェルト製で、山が高く、てっぺんがでこぼこで、つばは映画などでプランテーションの作業監督が愛用している帽子のように広々としていた。女たちはモロッコやメソポタミアの貧しいユダヤ人女性の髪でつくった艶《つや》やかなヘアピースをかぶり、それをスカーフで包んでいる。コートやワンピースはパリやニューヨークで買いつけた上質の古着で、靴はイタリア製の高級品。少年たちは歩道をインライン・スケートで滑っていき、スカーフや鬢《びん》の長い髪を気流になびかせ、前を開いたパーカのオレンジ色の裏地をひらめかせる。長いスカートをはき、腕を組んで歩く少女たちは賑《にぎ》やかで活発、そして哲学の学派のように党派的だ。空は鉄色に曇り、風は凪《な》いで、空気は子供たちの元気と雪の予感で興奮に満ちていた。

「見ろよ。ずいぶん賑やかだ」とランツマンは言った。

「空き店舗なんか一つもないな」

「人相の悪いユダヤ人がぞろぞろいる」

ランツマンは北西二十八番通りの信号で停止した。角の店の隣にあるタルムード学院のそばには律法の勉強に明け暮れる独身者、結婚の世話をしてもむだな夢想家、ありふれた普通のごろつきたちがうろついていた。そうした連中は、ランツマンの車に気づくと、横柄な私服刑事の匂《にお》いとフロントグリルの二重のSというとんでもないマーク（SSは〝スーパースポーツ〟の略だが、ナチス親衛隊の略でもある）を嫌って、互いに注意の声をかけあい、ランツマンに胡散臭《うさんくさ》そうな視線を投げて、そそくさと立ち去っていく。ランツマンはよそのテリトリーへの闖《ちん》入者《にゅうしゃ》だ。顔をきれいに剃《そ》っているし、神の前で震えることもしない。ヴェルボフ派ユダヤ人ではないから、彼らにとっては本当のユダヤ人ではない。ユダヤ人でないなら、無ということだ。

「どいつもこいつもまぬけ面《づら》だ」とランツマンは言った。「気に入らん」

「マイヤー」

じつを言うと、ランツマンは昔からハシディズム派のユダヤ人を見ると腹が立ってくるのだ。それは甘美な怒り、羨望《せんぼう》と優越感と怨恨《えんこん》と憐憫《れんびん》をたっぷり含んだ怒りだ。ランツマンは車をとめ、ドアを開けた。

「マイヤー。よせ」

ランツマンは道路に降りた。女たちの視線を感じた。周囲の男たちの息が、ふいに不安の匂いを帯びた。虫歯のような匂いだった。まだ運命の瞬間を迎えていない鶏《にわとり》たちの笑い声と、水槽の鯉《こい》を生かしておくエアコンプレッサーのうなりが聞こえた。ランツマンはダニを殺すために熱した針のように光っていた。

「よう、おまえたち」ランツマンは街角の男たちに声をかけた。「俺のいかすマッポ車に乗りたいのは誰だ」

男が一人、前に出てきた。色の白い男で、背は低いが横幅があり、額がでっぱっていて、黄色い顎鬚《あごひげ》は二股《また》に分かれていた。「車に戻ったほうがいいよ、おまわりさん」物柔らかで理性的な話し方だった。「どこかに用事があるんだろう?」

ランツマンはにやりと笑った。「それを勧めてくれるわけか」

ほかの男たちもやってきて、二股顎鬚のがっちりした男の周囲を埋めた。二十人ほどいるだろう。最初に推定していた以上の数だった。ランツマンの針の光が、切れそうな電球のように瞬《また》きながら暗くなった。

「それじゃ言い方を変えるか」と二股顎鬚が言った。手がズボンのポケットの膨らみのほうへ伸びようとする気配を示している。「車へ戻れ」

ランツマンは顎の先を二本指でしごいた。俺は狂ってる、と思う。つまらない事件の、雲をつかむような手がかりを追いかけ、理由もなく癇癪《かんしゃく》を起す。気がついてみれば、こうして黒帽子どもと事を構えている。この黒帽子どもには政治的影響力も、金も、武器もある。武器は満州国やロシアの軍余剰品で、最近の警察の信頼できる報告によれば、中南米の小国でゲリラ蜂起《ほうき》ができるほどあるという。まさに狂気の沙汰《さた》。俺の狂気は期待を裏切らない。

「こっちへ来て俺を車に戻らせたらどうだ」とランツマンは言った。

ここでベルコが車から降り、先祖から受け継いだ熊《くま》の体格をあらわにした。横顔は、硬貨や山の斜面に刻む値打があるほど立派だった。右手には、ユダヤ人であれ、非ユダヤ人であれ、およそ見ることがないような不気味なハンマーを持っている。それはレプリカではあるが、一八〇四年にトリンギット族がロシアに勝利した戦争で、カトリアン族長が使ったとされる武器だった。ベルコは十三歳でユダヤ人社会に新しく加入したとき、威嚇《いかく》用にこのハンマーをつくった。かつて一度もその目的を達しなかったことがなく、だから今でもベルコはランツマンの車の後部座席にこれを常備している。ヘッドは、ヘルツ・シェメッツがヤコヴィー地区の近くの旧ロシア領で掘り出した重さ十五キロの隕鉄《いんてつ》。柄は重さ千百グラムの野球のバットを〈シアーズ〉の狩猟ナイフで削ったもので、黒いカラスと赤い海獣が絡《から》み合い、歯を見せてにっと笑っている図柄があしらわれている。図柄の着色には十四色セットのフェルトペンを全部使っている。柄のヘッドに近いところから、革紐《かわひも》でカラスの羽根が二つぶらさげてある。歴史的には正確ではないかもしれないが、ユダヤ人の頭にはすぐにこうひらめく。

〝インディアンだ！〟

その言葉は商店と屋台が並ぶ通りを伝わった。シトカのユダヤ人は、めったに先住民を見たり、言葉を交わしたりすることがない。例外は連邦裁判所や〝境界線〟沿いの小さなユダヤ人町でぐらいのものだ。ヴェルボフ派ユダヤ教徒たちが、白人の頭蓋骨《ずがいこつ》をハンマーで片っ端から割っていくベルコの姿を思い浮かべるには、さほどの想像力を要しない。だが、まもなくベルコのヤムルカと、腰の四ヵ所につけている白い細紐が眼に入ると、群衆の中から異教徒嫌いの立ちくらみが引き、人種差別の軽い眩暈《めまい》が残るだけとなった。シトカ特別区では、ベルコがハンマーを振りあげてインディアンになると、いつもこういう展開になる。頭皮剝《は》ぎや風を切る矢や幌馬車が出てくる映画の五十年の歴史が、人々の頭に影響を及ぼしてきたのだ。あとはいかにも場違いな風貌とふるまいが騒動をあおる。

「ベルコ・シェメッツ」と二股顎鬚の男が瞬《まばた》きをしながら言った。その肩と帽子に羽毛のような大粒の雪がゆっくりと降りかかりはじめる。「どうだ、元気か」

「ドヴィド・ススマン」ベルコはハンマーをおろした。「おまえだと思ったよ」

それから積年の苦悩と恥辱を溜《た》めた半牛人《ミノタウロス》の大きな眼をいとこに据えた。ヴェルボフ島へ来たのは俺が言いだしたことじゃない。放っておけと言われたのにラスカーの事件を調べているのもそうだ。素性の知れないヤク中がチェスの女神に射殺されるようなぼろホテルで寝泊まりしているのは俺じゃない。

「愉《たの》しい安息日を、ススマン」ベルコはハンマーをランツマンの車の後部座席へ放りこむ。それが床に落ちると、バケット・シートの中のスプリングがビーンと鳴った。

「あんたも愉しい安息日を、警部」とススマンが返した。ほかのユダヤ人たちも、やや納得しきれない様子ながら、同じ挨拶《あいさつ》をする。それからふたたび不正資金洗浄や自動車登録番号の抹消などの仕事に戻った。

ランツマンとベルコは車に乗りこんだ。ベルコは力まかせにドアを閉める。「ああ、嫌だ、嫌だ」

二二五号通りを流していくと、どの顔も青いシヴォレーに乗っている先住民系ユダヤ人を見た。

「職務質問をやるなら穏やかに頼むぜ」ベルコは苦々しげに言う。「まったく、そのうち俺はあんたの頭にハンマーをぶちかますことになりそうだよ」

「それがいいかもしれない」とランツマンは応じた。「俺はそれを治療法として歓迎するよ」

二人は二二五号通りを西に走り、イツィク・ジンバリストの作業所に向かった。裏通りに袋小路、ネオ-ウクライナ様式の一戸建てにコンドミニアム。屋根の傾斜が急な下見板張りの家は暗い色に塗られ、敷地いっぱいに建てられている。建物はシナゴーグを埋める黒帽子のようにひしめき合っていた。

「売り家の看板が一つもないな」とランツマンは言った。「どこの家も洗濯物を干している。ほかの教派はみんな律法や帽子を箱に詰めて出発した。ハーカヴィー地区の半分はゴーストタウンだ。ところがヴェルボフ派は違う。〝復帰〟のことを知らないか、俺たちが知らないことを知っているかのどっちかだな」

「相手はヴェルボフ派だ。あんたならどっちに賭《か》ける」

「レベが手を打ったということか。全員にグリーンカードをとってやったとか」ランツマンはその可能性を考えてみた。もちろん、ヴェルボフ派のような犯罪組織は、秘密の仲介人や陳情者をつかってそれなりのことをし、政府との関係に油をさすことなしに繁栄はありえない。ヴェルボフ派は、口伝律法《タルムード》の研究を深めたおかげか何か知らないが、権力機構の仕組みと金の使い方をよく把握しており、外の世界に素顔をさらさないが、さまざまな手段で政府に影響力を与えている。だが、コインを入れただけコークを出す自動販売機ではあるまいし、移民帰化局がそこまでしてくれるだろうか。

「そこまでの影響力を持っているやつはいない」とランツマンは言った。「ヴェルボフ派のレベでもむりだ」

ベルコは首をすくめ、肩を少しだけ持ちあげた。自分はもう何も言いたくない、怖《おそ》ろしい力が解き放たれて竜巻やら何やらの大惨事が起きるといけないから、とでもいうように。

「そりゃあんたは奇跡を信じない人だからな」

13

〝境界線の知者〟ジンバリストは早耳の老人で、インディアンの二人組が青い車でこちらにやってくると聞くと、すぐに準備を整えた。作業所はトタン屋根と大きな車輪つきの引き戸を持つ石造りの建物で、石畳の広場の長いほうの端に面して建っていた。広場は片側が細く、漫画に描かれるユダヤ人の鼻のように広がっている。広場には六本の道が曲がりくねりながら集まっているが、それらはもともとウクライナ産の山羊《やぎ》や野牛が踏んだ道だった。だが、今はもう家畜は通らない。道沿いの家々は、ウクライナ風の建物を忠実に模していた。いわばディズニーランドにつくられたユダヤ人村であり、偽造されたばかりの出生証明書のように真新しくてきれいだった。泥色やからし色の家は木骨と漆喰と藁《わら》葺《ぶ》き屋根から成っている。ジンバリストの家と向き合って広場の短いほうの端に建つのは、ヘスケル・シュピルマンの家だった。シュピルマンはヴェルボフ派の十代目レベであり、奇跡を起こす人物として有名だ。染《し》み一つない白い漆喰塗りの立方体が三つ、青いスレートタイル葺きのマンサード屋根をいただき、丈が高く幅の狭い窓は鎧戸《よろいど》を閉ざしていた。この家はある家の正確なコピーで、もとになったのは、現在のレベの妻の祖父、すなわち八代目レベが、ウクライナのヴェルボフに持っていた家で、二階のバスルームにあるニッケルプレート張りの浴槽に至るまでそっくりだった。不正資金洗浄や密輸や贈賄《ぞうわい》に手を染める前から、ヴェルボフ派のレベは華麗なベストや安息日の儀式に用いるフランス製の銀器や柔らかなイタリア製ブーツを愛好することで、ほかのハシディズム派と違っていた。

〝境界線の知者〟は小柄で虚弱そうな撫《な》で肩の老人で、七十五歳と言われているが、それより十歳は年をとって見えた。まばらだが長く伸ばした白い髪、落ちくぼんだ黒い眼、セロリの芯《しん》のような黄色みを帯びた青白い膚《はだ》。襟つきのファスナーカーディガンを着て、白い靴下の上に濃紺のビニールサンダルをはいているが、靴下の左足の親指の部分には穴があいている。杉綾《すぎあや》織のズボンには卵の黄身、酸、タール、エポキシ定着液、封蠟《ふうろう》、緑色の絵の具、マストドンの血の染みがついていた。知者の顔は骨ばって、鼻と顎《あご》が大半を占め、隙間《すきま》のありかを発見し、そこを探り、まっすぐ突っこんでいくために進化したといったふうだ。灰色の豊かな顎鬚は、鉄条網に引っかかった鳥の羽毛のように風に吹かれてふわふわ揺れていた。お手上げの状態が百年続いても、こんな風貌《ふうぼう》の老人に助けや情報を求める気にはなれないとランツマンは思ったが、ハシディズム派の実態については、ベルコのほうがよく知っていた。

作業所のアーチ形の入口の前には、髭《ひげ》のない若者が老人の隣に立ち、老人の頭に雪がかからないよう傘をさしかけていた。若者の黒い帽子にはすでに雪が五ミリくらいの厚さに積もっていた。老人は若者に鉢植えの木に対するほどの注意しか払っていない。

「また太ったな」ジンバリスト老人は、近づいてきたベルコに向かって挨拶《あいさつ》がわりに言った。ベルコの足どりには最前ハンマーを持ったときの昂《たか》ぶりが残っていた。「ソファーなみの大きさだ」

「ジンバリスト教授」ベルコは見えないハンマーを揺するように手を動かしながら言った。「あんたは電気掃除機のごみ袋からもそっと落ちてくるものみたいに見えるよ」

「この八年ほどはわしを煩《わずら》わせに来なかったが」

「そう、ちょっと休ませてやろうと思ってね」

「そりゃご親切なことだ。しかし、このうらぶれた地区の連中はしょっちゅうわしにうるさく言ってくるから閉口しておるよ」それから傘を手にしている若い男のほうを向いた。「お茶。グラス。ジャム」

タルムード学院の若い学士は、犬と猫とネズミの序列を論じて支配と服従の規律を説くタルムードの一節を、アラム語でぶつぶつぶやきながら、ドアを開き、老人のあとから作業所に入った。中は音がよく響く広い部屋で、仕切りはないが、車庫と作業室と事務所に分かれていた。事務所の領域には、地図保管用のスチールキャビネット、額入りの免状類、何巻もの黒い背表紙の無限にして深遠なる律法などが並んでいる。車輪つきの大きな引き戸は、バンが出入りするためのものだ。滑らかなセメント床についた油の染みの数からすると、バンは三台あるようだ。

ランツマンは、普通の人間が気づかないことに気づくことで給料をもらい生活しているが、ジンバリスト老人の作業所に入ったときには、今まで紐《ひも》やロープのたぐいに充分な注意を払ったことがなかったのを自覚した。糸、紐、ロープ、コード、テープ、フィラメント、締め綱、大綱、ケーブル。素材は、ポリプロピレン、麻、ゴム、ゴムで被覆した銅線、ケブラー、スチール、絹、亜麻、ビロードの組み紐。〝境界線の知者〟はタルムードの膨大な内容を暗記している。地形学、地理学、測地学、幾何学、三角法。それらを反射的に計算して作業をする点は射撃の照準の技術に似ており、〝境界線の知者〟は紐の質によって生きも死にもする。紐はマイル、ヴェルスタ、ハンドなどの単位ではかられ、そのほとんどは壁に吊《つ》るした巻軸や床にサイズ別に積んだ金属製の紡錘にきちんと巻きとられているが、すさまじくもつれた山となってあちこちに放置されたものもある。

「これは相棒のランツマン警部だ、教授」とベルコは紹介した。「何か困ったことがあったら相談するといい」

「おまえさんと同じ厄介者にかね」

「おい、俺を怒らせるなよ」

ランツマンとジンバリストは握手をした。

「この男のことは知っておるぞ」ジンバリストはランツマンに近づいてよく見ながら言った。あたかも〝境界線の知者〟の一万枚ある地図の一枚を見るように、眼を細めて。「猟奇殺人鬼のポドルスキーを捕まえた刑事だ。それとハイマン・ツシャルニーも刑務所に送りこんだ」

ランツマンははっとして、老人の話をよく聞く気構えをとった。ハイマン・ツシャルニーは、ビデオのチェーン店のために不正資金洗浄を行なっていた男で、ある微妙な取り引きの秘密を封印するためにフィリピン人の殺し屋《シュロッサー》を二人雇った。だがランツマンにはフィリピン風中華ドーナツ屋のベニート・タガネスという上質の情報提供者がいる。タガネスの情報のおかげで、ランツマンは空港の近くの安ホテルで飛行機の出発時刻を待っている二人の殺し屋にたどり着けた。そしてその二人の証言により、ヴェルボフ派が金で築いた法廷戦術の分厚い壁を突き破って、ツシャルニーを刑務所にぶちこむことができたのだ。今に至るも、ツシャルニーはシトカ特別区でただ一人の有罪判決を受けたヴェルボフ派幹部だ。

「あいつを見ろ」ジンバリストの顔の下部がぱくりと開いた。歯は骨でできたパイプオルガンのパイプのようだ。笑い声は錆《さ》びたフォークと釘《くぎ》が何本ずつか床に落ちたときのように聞こえた。「わしがその二人の悪党のことを気にしていると思っておる。あんな者どもは魂も股《また》のあいだの物も萎《しな》びてしまうがいい」老人は笑うのをやめた。「おまえさんは、わしも仲間だと思ったのか」

ランツマンはこれを今まで受けた中で一番命にかかわる質問だと感じた。「とんでもない、教授」とランツマンは答えた。実際にはジンバリストが〝教授〟であることさえもいくらか疑っていた。だが電気ポットを相手に悪戦苦闘している若い学士の頭より少し高いところには、額入りの免状がいくつもかけてある。ワルシャワのタルムード学院（一九三九年卒）。ポーランド自由国大学（一九五〇年卒）、ブロンフマン工芸技術大学（一九五五年卒）。そのほか各種推薦状、感謝状、宣誓供述書も、地味な黒い額におさめられていた。ヤコヴィー地区からシトカ市街地までの大物も雑魚《ざこ》も含めたすべての律法学者《ラビ》から一枚ずつ感謝状が来ているかのようだった。ランツマンはあらためてジンバリストの全身をすばやく観察したが、後頭部を覆《おお》っている大きなヤムルカの洒落《しゃれ》た銀糸の刺繍《ししゅう》を見ただけでも、ヴェルボフ派でないのは明らかだった。「そんな間違いはしないよ」

「そうかね。わしがやったように、連中の一人と結婚するというのはどうだ。そういう間違いは犯すかね」

「結婚に関してはほかの人間に間違いを犯させることにしているよ。たとえば、俺のもとの家内とかね」

　ジンバリストは二人に手招きをし、オーク材の重厚な地図台のわきを通りすぎて、大きな蓋つきデスクのそばに置いた二脚の椅子《いす》のそばへ足を運んだ。椅子は背もたれが梯子《はしご》状で、壊れていた。学士がきびきび動かないので、ジンバリストはその耳をつかんだ。「何をやっとる」今度は若者の手をつかむ。「おまえの指の爪《つめ》はなんだ！　まったく！」死んだ魚のように手を放り出した。「さあ、とっとと出ていって、無線で連絡しろ。あの馬鹿《ばか》どもがどこにいるか、何を手間取っているのか、確かめてこい」

　ジンバリストは電気ポットに水を注ぎ、お茶の葉をひと摘《つま》み入れた。葉は糸屑《いとくず》のようにも見えた。「連中が見回るのは一つのエルーヴだけだ。たった一つだけなんだ！　わしには作業員が十二人いるが、自分の足の親指を探すあいだにも迷子になっちまう頼りないやつらばかりなのさ」

　ランツマンはこれまで、〝エルーヴ〟などというものとは関わりにならないよう極力努めてきたが、それがユダヤ教独特の禁忌に関係する概念であることは知っていた。要するに、やかまし屋の神をだますためのペテンだ。ユダヤ教では、金曜の日没から土曜の日没まで続く安息日に仕事をしてはならない。その一つの帰結として、家の外で物を運ぶことが禁止される。そこで二本の電柱とそのあいだに張られた電線を自宅内の出入口とみなしたり、紐と柱を使って出入口をつくったりするのだ。このような仮想の出入口をつなげて、一定の範囲を囲いこみ、それをエルーヴと呼んで、エルーヴの内側は自宅の中と同じとみなす。こうすれば、ポケットに鎮痛剤を入れてシナゴーグに出かけても罪にはならないわけだ。紐や縄と柱になるものをたくさん用意し、戸外にある壁や塀や崖《がけ》や川を創意豊かに利用すれば、かなり広い範囲を囲いこんで、そこをエルーヴと称することができる。十二人の作業員を使うジンバリストには、一つの地区全体を自宅の内側にすることも可能だった。

だが誰かが境界線を定め、その領域内を監視し、紐と柱の保守点検をして、雨風や人間の損壊行為や熊《くま》や電話会社の電柱管理係から仮想のドアと壁を守らなければならない。それを引き受けるのが、〝境界線の知者〟だ。ジンバリストは〝紐と柱〟を独占していた。最初に彼を起用したのはヴェルボフ派だった。この強力な派を後ろ盾に、ジンバリストはサトマール派、ボボフ派、ルバヴィッチ派、ゲール派など、すべてのハシディズム派の〝宮廷〟が彼の専門技能に頼るようになった。特定の歩道や湖岸や空き地が、あるエルーヴに含まれるかという問題が持ちあがると、ラビでもないジンバリストの判断を、すべてのラビが尊重する。ジンバリストの地図と作業班と紐に、この地区の敬虔《けいけん》なユダヤ人全員の魂が依存している。ある意味で、ジンバリストはこの地区の最高権力者と言ってもいい。そういうわけで、この老人はヴェルボフ島の真ん中で、抽斗《ひきだし》が七十二個もある大きなオーク材の机について、お茶を飲みながら、ハイマン・ツシャルニーを逮捕した刑事と話していられるのだ。

「おまえさんはいったいどうしたんだ」とジンバリストはベルコに言い、空気で膨らませるドーナツ型のゴム製クッションをキューッと鳴らしながら腰をおろした。机の上からブロードウェイをひと箱とる。「なんだってあのハンマーでみんなを脅したんだね」

「俺の相棒が、そのみんなからの歓迎のされ方にがっかりさせられたからさ」とベルコは答えた。

「もうすぐ安息日なのに温かみがなかったんだ」ランツマンも自分の煙草《たばこ》に火をつけた。「俺の意見ではね」

ジンバリストが三角形の銅の灰皿をとり、机の上を滑らせてきた。灰皿の側面には〈クラズニー煙草・文房具店〉の文字がある。ランツマンの父親がいつも《チェス・レヴュー誌》を買っていた店だ。貸本サービスや百科全書的品揃《しなぞろ》えの葉巻や毎年恒例の詩のコンクールなどで愛された〈クラズニー〉だが、かなり以前にアメリカの大手チェーンに粉砕された。この垢抜《あかぬ》けない灰皿を見ると、ランツマンの胸のアコーディオンは郷愁のあえぎを洩《も》らした。

「俺は二年間、あの連中のために働いたんだ」とベルコは言った。「覚えてくれてる人間がもっといてもよさそうなもんだ。俺はそんなに印象が薄いか」

「一つ言っておこう、刑事さん」ジンバリストはまたゴム製ドーナツを鳴かせながら腰をあげ、汚れた三つのグラスにお茶を注いだ。「ここの住民の繁殖のしかたを知ればわかるが、今日おまえさんが通りで見た連中は、八年前におまえさんが知っていた連中じゃない。その孫の世代さ。近頃の女は生まれたときにもう妊娠してるんだよ」

老人は湯気の立つグラスをよこした。持っていられないほど熱く、ランツマンは指を火傷《やけど》しそうだった。草の匂《にお》いがするお茶だった。棘《いばら》の実か。糸屑も少し混じって汁が出たかもしれない。

「連中はどんどん新しいユダヤ人をつくっていく」ベルコはグラスにスプーン一杯のジャムを入れた。「ところが住まわせる場所をつくる者がいない」

「そのとおり」ジンバリストは骨ばった尻《しり》をドーナツに据え直した。顔をしかめる。

「ユダヤ人にはおかしな時代だ」

「しかしこの辺はそうは見えない」とランツマンは言った。「ヴェルボフ島の生活はまったく平常どおりだ。ＢＭＷの盗難車があちこちの家に駐《と》めてあるし、どこの家の鍋《なべ》にもしゃべる鶏《にわとり》がいる」

「ここの連中はレベが心配しろと言うまで心配しないのさ」とジンバリストが言う。

「心配事がないからかもしれないな」とベルコが言った。「レベがもう問題を解決してくれてるとかね」

「そりゃわしは知らん」

「全然信じられない」

「そんなら信じなさんな」

車庫の扉の一つがごろごろ滑って開き、白いバンが入ってきた。フロントガラスはまばゆい雪のマスクを着けている。黄色いつなぎを着た四人の男が降りてきた。みな鼻が赤く、顎鬚《あごひげ》は黒いネットで包まれていた。洟《はな》をかみ、足踏みをした。ジンバリストがそこへ行って、しばらくがみがみと小言を言った。ショーレム・アレイヘム公園内の貯水池の近くで問題が生じたようだった。誰か役所の馬鹿が、二本の外灯柱でできている仮想の戸口のど真ん中に手打ちハンドボールをプレーするための壁をつくったのだ。一同は事務所スペースの地図台のまわりに集まった。ジンバリストが必要な地図を出すあいだ、作業班の面々はランツマンとベルコに会釈《えしやく》をしたり、しかめ面《つら》を向けたりした。が、そのあとは二人を無視していた。

「知者先生はユダヤ人が最低十人いる町なら、そこのエルーヴの地図を持ってるらしいぜ」とベルコがランツマンに言った。

「その噂《うわさ》はわしが広めたのさ」ジンバリストは地図を睨《にら》んだまま言った。老人が問題の場所を探すあいだ、作業員の一人が短い鉛筆でハンドボールの壁をスケッチする。老人は明日の日没まで機能するような策をすばやく練った。エルーヴの仮想の壁に突出部をつくることにして、ジンバリストは作業員たちをふたたび現場へ派遣した。近くの電柱二本の頂上にプラスチック製のパイプをとりつけさせるためだ。これによって、ショーレム・アレイヘム公園の東側に住むサトマール派の住民が、魂を危険にさらすことなく公園へ犬の散歩に出かけられる。

「申し訳なかった」ジンバリストが戻ってきた。机のそばに来ると身をすくめた。「もう坐《すわ》ってるのは飽きた。さてと、いったい用件は何かな。まさか公共領域《レシュス・ハラビム》のことで質問しにきたわけじゃあるまい」

「じつは殺人事件の捜査をしているんだが、ジンバリスト教授」とランツマンは答えた。

「被害者が、少なくとも過去の一時期に、ヴェルボフ派の人間だったか、その派と結びつきがあったか、どちらかの可能性があると考える根拠があるんだ」

「結びつきか」ジンバリストはパイプオルガンのパイプ状の鍾乳石を思わせる歯を覗《のぞ》かせてにやりと笑った。「紐の結びつきのことなら多少の知識はあるよ」

「被害者はマックス・ノルダウ通りにエマヌエル・ラスカーの名前で暮らしていた」

「ラスカー？　あのチェスの名手と同姓同名かね」ジンバリストの羊皮紙のような黄色い額に皺《しわ》が一本刻まれ、眼窩《がんか》の奥深くで火打石に打ち金がこすられた。驚き、当惑、記憶の発火。「わしも昔はチェスをやった。もう昔の話だが」

「俺もだ」とランツマンは言った。「殺された男も、最後の最後までやっていた。死体の隣に対戦中のチェス盤があった。被害者はジークベルト・タラッシュの本を読んでいた。それから〈アインシュタイン・チェス・クラブ〉に出入りしていた。クラブではフランクという名前で知られていたが」

「フランク」ジンバリストはアメリカ風に発音した。「フランク、フランク、フランク。それが苗字《みょうじ》じゃなくて名前かね。苗字ならユダヤ人にも普通にあるが、名前だとめったにない。そのフランクとやらがユダヤ人だというのは確かなのか」

ランツマンとベルコはちらりと眼を見交わした。確かとは言えない。枕元《まくらもと》の聖句箱は、犯人がわざと置いていったとも、被害者が誰かの形見の品として持っていたとも、二〇八号室の前の住人のものだったとも考えられる。チェス・クラブの誰も、フランクがシナゴーグで身体《からだ》を前後に揺らして祈るところを見たと証言したわけではない。

「被害者がある時期に」とベルコはくり返した。「ヴェルボフ派のユダヤ教徒だったと考える根拠はあるんだ」

「どういう根拠だね」

「言ってみれば、それらしい電柱が二本あったわけだ」とランツマンは答えた。「俺たちはその二本を一本の紐で結んでみた」

ポケットに手を入れ、封筒をとりだす。シュプリンガーが撮ったポラロイド写真の一枚を出して、机の向こうのジンバリストに渡した。ジンバリストは両腕を伸ばして写真を見つめた。しばらくすると、死体の写真だとわかってきたようだった。深呼吸を一つし、唇をきつく結んで、手にした証拠品に知的職業人らしいしっかりした判断を加えるための心の準備をした。ただはっきり言って、死体の写真などは〝境界線の知者〟の日常業務からはひどくかけ離れたものであるだろう。ジンバリストはあらためて写真に視線をあてた。ランツマンは、老人が表情を完璧《かんぺき》に統御する前に、一瞬、腹にすばやいパンチを受けたような顔をするのを見た。老人の肺から空気が抜け、顔から血の気が引いた。その眼から知者の知性の光が消えた。つかのま、ランツマンは、老人自身の死に顔のポラロイド写真を見た気がした。それから光が老人の顔に復活した。ランツマンとベルコは少し待った。次いでもう少し待った。ランツマンにはわかった。老人は心の統制を保とうと必死に戦いながら、〃いや、刑事さんたち、こんな男は一度も見たことがないね〃と告げて、それをいかにも真実の言葉らしく響かせられる可能性にしがみつこうとしていた。

「それは誰なんだ、ジンバリスト教授」ようやくベルコが問いを口にした。

ジンバリストは写真を机に置き、さらに見つめつづけた。自分の眼と唇が何をしているかは意に介していなかった。

「ああ、あの子だ。あの優しい、優しい子だ」

カーディガンのポケットからハンカチを出して、頬の涙を拭《ぬぐ》い、吠《ほ》えるような声を一つ発した。怖《おそ》ろしい声だった。ランツマンは老人が飲んでいた茶を自分のグラスに空けた。そして上着のポケットから、その日の朝に〈ボルシチ〉のトイレで押収したウォッカの瓶を出した。ウォッカを指二本分、グラスに注ぎ、老人に差し出す。ジンバリストは無言でそれを受けとり、ひと息に飲み干した。それからハンカチをポケットに戻して、ランツマンに写真を返した。

「わしがその子にチェスを教えたんだ」とジンバリストは言う。「その男が子供だったときに。大きくなる前に。いや、すまん、これじゃ話がわからんな」またブロードウェイを一本とろうとしたが、全部吸ってしまっていた。曲げた人差し指を煙草の袋に突っこみ、もぞもぞ動かす。まるでクラッカージャックの箱からピーナツだけをとりだそうとするかのように。ランツマンが煙草をやると礼を言った。「ありがとう、ランツマン。ありがとう」

だが、それきり黙ってしまった。じっと坐って煙草が灰になっていくのを眺めていた。金壺眼《かなつぼまなこ》でベルコを窺《うかが》い見、次いでトランプをする人の眼でランツマンを盗み見る。衝撃からは立ち直ってきたようだ。頭の中で状況を表わす地図をつくり、越えられない線はどれか、くぐれば魂が危険にさらされるドアはどれかを、見きわめようとしていた。斑《ふ》入《い》りの毛蟹《けがに》のような手が、電話機のほうへ指一本だけぴくりと動かした。老人が電話をかければ、世界の真実と闇《やみ》の問題はふたたび弁護士連中によって管理されるだろう。

車庫の扉がまたきしりはじめた。ジンバリストはありがたいという響きのうめき声とともにまた腰を浮かせたが、今度はベルコが先を越して立ちあがった。重い手を老人の肩にかけて言う。

「坐っててくれ、教授。お願いだ。時間をかけて話していいが、頼むからそのドーナツに尻を載せといてくれ」ベルコは老人の肩をつかんでそっと力をこめ、車庫の扉のほうへ顎《あご》をしゃくった。「マイヤー」

ランツマンは作業スペースを横切って車庫へ向かいながら、警察バッジを出した。バンが入ってくる場所へまっすぐ向かっていく。掲げているバッジでシヴォレーの二トン車でも物理的にとめられるとでもいうように。運転手がブレーキをかけ、タイヤの喚《わめ》き声が車庫の冷たい石壁に反響した。運転手は窓を巻きおろす。ジンバリストの部下が持つ特徴をすべて備えた男だ。ネットで包んだ顎鬚、黄色いつなぎ、練熟した渋面。

「なんだよ、刑事さん」と運転手は訊《き》いた。

「ドライブに行ってきてくれ。おたくの先生と話をしているんだ」ランツマンはそう言ったあと、通信指令パネルの前で身を潜めるようにしていた若い学士の長いコートの後ろ襟をつかんだ。子猫をぶらさげるようにして学士をバンのそばへ連れていき、ドアを開けて助手席に押しこんだ。「この小僧も連れていってやれ」

「教授？」運転手が〝境界線の知者〟に呼びかけた。やや間をおいて、ジンバリストはうなずき、手をひと振りして行けと命じた。

「でも、どこへ行ったらいいんだ」と運転手はランツマンに訊く。

「さあな」ランツマンはバンのドアを滑らせ、押しこんで閉じた。「俺に何かいいプレゼントを買ってきてくれよ」

車体を叩《たた》くと、バンはゆっくりとバックで外に出ていった。ランツマンは車庫の扉を閉めて掛け金をかけた。

「さてと、もう一ぺん話をやり直してくれ、教授」ランツマンはふたたび背もたれが梯《はし》子《ご》状の椅《い》子《す》に腰かけた。脚を組み、二人分の煙草に火をつける。「時間はたっぷりあるから」

「ほら、教授」とベルコも促す。「あんたは子供の頃の被害者を知ってたんだったな。今その頃の思い出が頭の中をぐるぐる回ってるんだろう。辛《つら》いだろうが、話しちまったほうが楽になるぜ」

「そうじゃない」とジンバリストは言った。「そういう――ことじゃない」ランツマンから火のついた煙草を受けとり、今度もほとんど一本吸ってしまうまで話を始めなかった。知的な人間なので、まず考えをまとめたいのだろうとランツマンは思った。

「名前はメナヘムだ」ジンバリストは口を切った。「メナヘム＝メンデル。歳《とし》は三十八歳で、あんたより一つ下だ、シェメッツ警部。いや、一つ下だった、と言うべきかな。でも誕生日は同じなんだ。八月十五日。そうだろう？　え？　そうだと思ったんだ。わかるかね。ここは地図室なんだ」毛のない頭頂部をぴたぴた叩《たた》いた。「イェリコの地図やテュロスの地図もあるよ、シェメッツ警部」

その〝地図室〟を叩く手が少し強すぎて、ヤムルカが落ちた。かがんでそれを拾うと、煙草の灰がセーターにこぼれた。

「メンデルはIQが百七十あった」とジンバリストは続けた。「八歳か九歳のときにはヘブライ語と、アラム語と、ユダヤ系スペイン語《ラディーノ》と、ラテン語と、ギリシャ語が読めた。論理が錯綜《さくそう》した難解な文章までもね。その頃にはわしの期待などはるかに越えたチェスの指し手になっていたよ。並はずれた記憶力で過去の棋譜《きふ》を覚えこんでね。一度読めば、一手も間違えずに盤上で再現できたんだ。もう少し大きくなって、あまりチェスをやらせてもらえなくなると、頭の中で有名な対戦をくり返した。たぶん三、四百の対戦を暗記していたと思うね」

「メレフ・ガイスティックにもそんな話があったな」とランツマンは言った。「きっと同じような頭をしていたんだろう」

「メレフ・ガイスティックか。あれは異常者だ」とジンバリスト。「あいつの指し方は非人間的だった。精神構造が害虫と同じだった。相手をむしゃむしゃ食うことしか考えなかった。不作法で、不潔で、意地が悪かった。メンデルは全然違っていたよ。妹たちに玩具《おもちゃ》をつくってやった。洗濯バサミとフェルトの人形とか、オートミールの箱の家とかね。いつも指に糊《のり》がついていたし、ポケットには顔をつけた洗濯バサミを入れていた。

わしは髪の毛にする糸をあの子にあげたもんだ。八人の妹がいつもあの子にくっついていた。それから一時期、ペットにしていたアヒルが犬みたいにあの子のあとについて回っていたもんだ」ジンバリストの茶色い唇の両端が吊《つ》りあがった。「信じないかもしれんが、あるときわしはメレフ・ガイスティックとあの子の対戦をお膳立《ぜんだ》てしたこともある。そういうこともできたんだ。ガイスティックはいつも金がなくて借金を抱えていた。それなりの謝礼さえもらえれば、ほろ酔い気分の熊《くま》とでも対戦したはずだ。メンデルが十歳で、ガイスティックが二十六歳。ガイスティックがペテルブルクで世界チャンピオンになる前の年だったよ。わしの作業所の奥で、三回戦の試合をやった。当時わしの作業所は――あんたらも覚えてるだろうが――リンゲルブルム通りにあった。ガイスティックに約束した報酬は五千ドルだ。メンデルは第一戦と第三戦に勝った。第二戦は黒を持って引き分けた。ああ、ガイスティックは試合を秘密にしておく約束だったことをひどく喜んだよ」

「どうしてだ」とランツマンは訊いた。「どうして秘密にする約束なんかしたんだ」

「それには理由があった」とジンバリストは答えた。「あの子が死んだマックス・ノルダウ通りのホテルというのは、上等なホテルじゃなかったんだろうな」

「ぼろい安ホテルだ」

「腕にヘロインを注射した跡があったって？」

ランツマンはうなずいた。二、三秒、辛そうな間をおいて、ジンバリストも首をこくりとさせた。

「ああ、そうだろうな。わしがどの対戦も秘密にしたのは、あの子が外部の人間とチェスをするのを禁じられていたからだ。どういうわけか知らんが、あの子の父親がガイスティックとの対戦のことを聞きつけた。これはわしには重大な問題だった。わしの家内がこの父親と親類だったが、それでももう少しであの人からの認可《ハスカマ》を取り消されるところだったんだ。当時のわしはその認可のおかげで仕事ができていた。それをもとにわしはこの事業を築きあげたんだ」

「その父親って、まさか——ヘスケル・シュピルマンじゃないだろうな」とベルコが言った。「さっきの写真の死体が、ヴェルボフ派のレベの息子だと言ってるんじゃないだろうな」

ランツマンは、ヴェルボフ島の静けさに気づいた。雪が降るなか、石造りの納屋《なや》を利用した作業所の中には、夕闇《ゆうやみ》が訪れようとしている。俗塵《ぞくじん》にまみれた世間とこの一週間が、安息日にともす二本の蠟燭《ろうそく》の炎の中へもうすぐ飛びこんでいくのだ。

「いや、そうなんだ」ようやくジンバリストが答えた。「メンデル・シュピルマン。レベの一人息子。双子の兄弟がいたが、死産だった。そのことは、あとになって予兆だったと解釈されたが」

ランツマンは訊いた。「なんの予兆だ。メンデルが天才児になることのか。安ホテルで暮らすヤク中になることのか」

「そうじゃない。それは誰も想像もしなかった」

「そう言えば……昔よく……」ベルコは言いかけて眼を細めた。あとを続ければ、ランツマンは苛立《いらだ》つか、こちらを馬鹿《ばか》にするかのどちらかだというように。ベルコはくしゃっとしかめた茶色い眼を元に戻して、尻切《しりき》れとんぼを選んだ。今の言葉をくり返す気にはなれないようだった。「メンデル・シュピルマンか。なんとね。いろんな噂《うわさ》を聞いたっけか」

「いろんな噂があったよ」とジンバリストは言った。「二十歳になるまでは、噂ばかりだった」

「どんな噂だ」ランツマンは当然、苛立った。「なんの噂だ。くそ、さっさと話してくれ」

14

というわけで、ジンバリストはメンデルについての逸話を語りだした。

シトカ総合病院で、ある女が癌《がん》で死にかけていた、とジンバリストは言った。それはジンバリストの知り合いの女だった。一九七九年のことだ。女は二人の夫に先立たれていた。最初の夫は賭博《とばく》好きで、戦争前にドイツでやくざ者《シュタルケル》に銃で殺された。二人目はジンバリストに雇われた〝糸猿〟、すなわち作業員で、送電線に絡《から》まって感電死した。死んだ雇い人の妻にお金をやるなどして面倒を見ているうちジンバリストと女は親しくなった。二人が恋愛感情を抱くようになっていたこともありえた。どちらももう無分別な情熱にとらわれる歳ではなかったので、情熱にとらわれていたとしても無分別ではなかった。女は色が浅黒く痩《や》せ型で、自分の欲望を制御するのが習慣になっていた。二人はその関係を誰にも明かさなかった。もちろん、ジンバリストの妻には絶対に秘密にしていた。

彼女が病気になったとき、ジンバリストは嘘《うそ》の用事をつくって外出し、こっそり病院へ行って、看護助手に金を握らせて口止めした。ベッドと壁のあいだの床にタオルを敷いて寝た。夜中にモルヒネで朦朧《もうろう》とした距離の向こうから愛人が呼びかけてくると、ひび割れた唇のあいだに水を流しこみ、額を湿らせたタオルで冷やしてやった。壁の時計は低くうなり、そわそわと落ち着かなげに秒針で夜の闇を細かくちぎりとった。夜が明けると、ジンバリストはリンゲルブルム通りの作業所へ戻り——妻には鼾《いびき》がひどいのでそこで寝ると言ってあった——そこで少年を待った。

ほぼ毎朝、礼拝と勉強がすむと、メンデル・シュピルマンはチェスを指しにきた。チェスは一応許されているが、ヴェルボフ派では律法学者団も一般の住民たちも、チェスなど時間のむだだという空気が強かった。少年が成長し、学業の成績がますます輝かしいものになり、子供とは思えない洞察力の評判が高まるにつれて、ますますチェスに費やす時間などもったいないと周囲からは思われた。メンデルが優れているのは記憶力や、機敏な推理力や、前例や歴史や法則の理解力だけではない。人間の本性は奔流であり、律法の動力源となるものだが、そのためには精緻《せいち》な排水機構や調節機構が必要だということを、子供ながら直観的に把握していた。不安、懐疑、情欲、破られた誓い、殺人、愛、神や人々の意図についての確信の欠如。そういったものすべてを、メンデル少年はアラム語での抽象的な議論だけでなく、父親の書斎にやってくる黒いサージの服を着た人たちが生き生きとした日常語で語る話からも理解した。律法を学ぶ一方で、ヴェルボフ派の〝宮廷〟には大物の泥棒や詐欺《さぎ》師がいる事実を知って、少年の頭の中には疑いが生じたかもしれないが、表には表わさなかった。まだ信仰を持っていた子供の頃も、のちにそれに背を向けるようになったあとも。メンデルは互いに矛盾する複数の主張について、バランスを失うことなく思考できる頭を持っていた。

シュピルマン家の人々は、メンデルがユダヤ人の息子として、また律法学徒として優秀なことを自慢に思っていたので、メンデルがゲームを好むことには寛大だった。メンデルは手のこんだいたずらや悪ふざけをしたり、妹たちや叔母たちやアヒルを俳優にした芝居を演出したりした。メンデルが起こした最高の奇跡は、父親を説得して、毎年、プリムの祭りで王妃ワシュティの役を演じさせたことだと言う人たちもいた。あの陰鬱《いんうつ》な皇帝、謹厳さのかたまり、威圧感を与える巨体の持ち主が、ハイヒールをはいてしゃなりしゃなりと歩いたのだ！　ブロンドの鬘《シャイトル》をかぶって！　口紅や頬紅をつけ、腕輪やスパンコールをきらめかせて！　ユダヤ人の演劇史上、最もおぞましい女優だったと言っていいだろう。みんなは喜んだ。毎年こんな面白いものを見せてくれるメンデルを愛した。だが、これも要するにヘスケル・シュピルマンが息子を愛していたことの証拠の一つにすぎなかった。その同じ愛情から来る寛大さのおかげで、メンデルは毎朝チェスで一時間を浪費することが許されたのだが、それには対戦相手がヴェルボフ島の住民の中から選ぶことという条件がついていた。

メンデルは、この地区でただ一人のアウトサイダーである〝境界線の知者〟を選んだ。

これは反抗心、あるいは、つむじ曲がりな心のちょっとした現われで、その傾向は後年ふたたび頭をもたげることになった。だが、それはそれとして、ヴェルボフ島でメンデルに勝つ見込みがわずかながらもあるのはジンバリストだけということでもあった。

「あの人の具合はどう」ある朝、メンデルはジンバリストにこう訊いてきた。愛人がシトカ総合病院に入院して二ヵ月たち、もう死にかけていた頃のことだった。

ジンバリストは衝撃を受けた。愛人の二番目の夫が受けた電気ショックにはもちろん及ばないが、心臓が一、二拍分とまったような気がした。メンデルとのチェスの対戦は今でも全部覚えているが、その朝のゲームは一手しか思い出せないと、ジンバリストはランツマンたちに言った。ジンバリストの妻はシュピルマン一族の女で、メンデルの親類だ。不倫を秘密にしておけるかどうかには、生活と、名誉と、そしておそらく命がかかっている。これまでのところうまく行っていることには自信があった。紐《ひも》やワイヤーを通じて、〝境界線の知者〟はあらゆる噂を感知する。クモが巣にかかったハエの肢《あし》のばたつきを感じとるように。メンデルが不倫の噂を聞いたのなら、その前に自分も耳にしているはずだ。

ジンバリストは訊き返した。「あの人とは」

少年はまじまじと顔を見つめてきた。見た眼はさほどかわいい子供ではなかった。眼と眼のあいだが狭すぎ、二重顎で、三重めの筋もかすかに見えていた。ただ、小さすぎ、鼻梁《びりよう》に近すぎるその眼は、まなざしが濃く、表情をくるくる変えた。ある種の蝶々《ちようちよう》の翅《はね》が角度によって青、緑、金色と変わるように、憐《あわれ》み、からかい、赦《ゆる》しと色を変えた。断罪の色は浮かばなかった。非難の色も。

「ううん、いいの」とメンデルは優しい声で言った。そして盤上のクイーン側のビショップを最初の位置に戻した。

その動きの意味を考えてみても、ジンバリストにはわからなかった。何か非常に珍しい奇手のようでもあった。が、次の瞬間には、見かけどおり、前の指し手を引っこめただけとしか思えなくなった。

ジンバリストはそれからの一時間、今の指し手の意味を必死に考えるとともに、十歳の少年に胸のうちを打ち明けたい衝動と懸命に戦った。住んでいる宇宙がタルムード学院とシナゴーグと母親が普段いる台所へのドアに限られている少年に、死にかけている寡婦《かふ》への悲しみと暗い喜びに満ちた愛を語り、彼女のひび割れた唇のあいだに冷たい水を少しずつ注ぐたびに、自分の秘《ひそ》かな渇きがいかに癒《いや》されるかを語りたくてたまらなくなっていた。

二人はそのあと会話を交わすことなく試合を続けた。ところが帰りがけ、少年はリンゲルブルム通りの作業所の戸口で振り返って、ジンバリストの袖《そで》を握った。少年はためらった。気が進まないか、当惑しているような様子だった。あるいは怖かったのかもしれない。やがて緊張した面持ちになった。少年の中で内面化されている父親の声が今、地域の人々のために奉仕せよと少年に告げているのが、ジンバリストにはわかった。

「今夜あの人に会ったら」とメンデルは言った。「僕から祝福の言葉を送ると伝えておいて。よろしく言っていたって」

「そうするよ」とジンバリストは答えた。あるいは、答えたように記憶している。

「何もかもうまくいくからと伝えておいて」

小猿のような顔、悲しげな口元、僕はあなたの友達であなたを愛している、と告げている眼つき。それでも、ひょっとしたら、少年はこちらをからかっているのかもしれなかった。

「ああ、そうする」ジンバリストはそう答えたあと、しゃくりあげて泣きはじめた。少年はポケットから清潔なハンカチを出して、差しのべた。苛立ちなど微塵も見せず、手を握ってきた。少年の指は柔らかく、少しねっちりとしていた。袖の内側には妹のレイズルが赤いマジックで自分の名前を落書きしていた。ジンバリストが平静をとり戻すと、メンデルは手を離し、湿ったハンカチをポケットに戻した。

「じゃ、また明日」とメンデルは言った。

その夜、病室にそっと入ったジンバリストは、床にタオルを敷く前に、意識のない愛人の耳に少年の祝福を囁《ささや》いた。祝福の効き目を信じて希望を持っていたわけではなかった。すると午前五時、愛人がジンバリストを起こして、家に帰って奥さんと一緒に朝ごはんを食べてと言った。意味の通る言葉を口にしたのは数週間ぶりだった。

「僕からの祝福を伝えてくれた？」その朝、チェス盤をはさんで向き合ったとき、メンデルが訊《き》いた。

「ああ、伝えた」

「今どこにいるの」

「シトカ総合病院だ」

「ほかの患者さんたちと一緒に？　病室にいるの？」

ジンバリストはうなずいた。

「ほかの人たちにも祝福の言葉を伝えてくれた？」

そんなことは思いつきもしなかった。「何も言わなかった。知らない人たちだからね」

「祝福は充分に行き渡るだけあるよ」とメンデルは言った。「だから伝えて。今夜、みんなに言ってあげて」

ところがその夜、病室へ行ってみると、愛人はべつの部屋に移されていた。死の危険が迫っていない患者の部屋だった。ジンバリストはほかの患者に祝福の言葉を伝えるのを忘れてしまった。二週間後、愛人は退院を許可された。医者たちはふしぎそうに首を振った。さらに二週間後に撮影したX線写真には、癌がまったく写っていなかった。

その頃にはジンバリストは、合意の上で愛人と別れていた。そして毎晩、妻と同じベッドで寝た。リングルブルム通りの作業所でのメンデルとのチェスはなおもしばらく続いたが、やがて愉《たの》しさを感じなくなってきた。どうやらメンデルが奇跡によって癌を治したらしいことが、二人の関係を決定的に変えてしまったようだ。メンデルが間隔の狭い眼で自分を見て、憐みのこもった金色の光をひらめかすたびに、眩暈《めまい》を振り払えなくなった。信仰など持つまいという信念が揺さぶられたのだ。〝あの人の具合はどう〟という単純な問いかけと、そう長くもない祝福の言葉と、自分の知るチェスとは違うチェスのように思えるビショップの単純な動きによって。

ジンバリストがメンデルのために、〈カフェ・アインシュタイン〉の王者にして未来の世界チャンピオンであるメレフ・ガイスティックとの秘密試合をお膳立《ぜんだ》てしたのは、あの奇跡へのお返しのつもりだった。リングルブルム通りの作業所の奥の部屋で行なった三回戦で、少年は二試合に勝った。この秘密が露見したとき——もう一つの秘密のほうは誰にも知られずじまいだった——ジンバリストとメンデルのあいだの行き来は終わった。以後、二人でチェスをすることは一度もなかった。

「結局それはあの子が祝福を与えたことから起きたわけだ」とジンバリストは言った。「だが、あの子が事の重大さを知ったのは、もっとあとになってからだった」

15

「おまえは泥棒《ガネフ》の御大に会ったことがあるよな」ランツマンは問い半分、断定半分でベルコに言う。二人はジンバリストのあとについて安息日の雪を踏み、レベの家に向かっていた。広場を横切ってレベに会いにいく前に、ジンバリストは作業所の奥の洗面台で顔と腋《わき》の下を洗った。櫛《くし》を濡《ぬ》らして、七本だけ残っている髪を頭頂部になでつけて波紋模様《モアレ》にした。オレンジ色のダウンベストの上に茶色いコーデュロイの上着を着て、靴の上に黒いオーバーシューズをはき、すべての上に熊皮《くまがわ》のベルトつきコートを着こんだが、このコートは防虫剤の匂《にお》いを五、六メートルのマフラーのようにうしろへ引きずった。それからドアのわきに飾られたヘラジカの角から、クズリの毛皮でできたフットボールか小ぶりなオットマンのようなものをとり、頭に載せた。今、ナフタリンの匂いを放ちながら、二人の刑事の前をよたよた歩くジンバリストは、残酷な飼い主から屈辱的な芸を強いられる小熊のようだ。すっかり暗くなるまであと一時間足らず、空から落ちてくる雪は陽光の砕けたかけらとも見えた。シトカの空はみるみる曇りが濃くなる鈍色《にびいろ》の銀板だった。

「ああ、あるよ」とベルコは答えた。「第五分署に赴任してすぐ連れていかれた。南アンスキー通りにある学院のオフィスで儀式をやった。俺の巡査の帽子のてっぺんに何かをピンで留めた。あとで見たら、金の葉っぱの徽章《きしょう》だった。それからは毎年プリムの祭りに、上等な果物を盛ったバスケットを送ってくるようになった。住所を教えてないのに、直接自宅に届くんだ。ドニエプルへ引っ越すまで毎年梨《なし》やオレンジを送ってきた」

「わりと気前がいいという評判だな」

「かわいいやつさ。子猫みたいに」

「さっき〝知者〟が話したメンデルの驚異と奇跡の物語だが、ベルコ、おまえは信じるか」

「そいつは俺にとっちゃ信じる信じないの問題ですらないんだ、マイヤー。そもそもの話がな」

「しかし――これはほんとに興味深いんだが――おまえなら救世主を本気で待つ気になれるか」

ベルコは肩をすくめた。その問題には興味がなさそうで、前方の雪の上に黒いオーバーシューズが残していく足跡から眼をあげなかった。「そりゃ救世主ってのは、待つしかねえんじゃねえの」

「で、やってきたら、どうなる。地上に平和が訪れるのか」

「平和と繁栄。食い物たっぷり。病人も孤独な人間もいない。物の売り買いなんてなくなる。いや、よくは知らんがね」

「パレスチナはどうなるんだ。救世主が現われたら、ユダヤ人はみんなあそこに戻れるのか。約束の地に。みんな毛皮の帽子をかぶって」

「俺の聞いた話じゃ、救世主とビーバーが取り引きしたらしいぜ。毛皮をとるのはもうなしだってな」

　レベの家の玄関には、大きな鉄製のガス灯が、鉄の腕木でとりつけられていた。その灯りの下で、数人の男が適当にばらけた集団をつくり、一週間の最後のひと時をつぶしている。レベの取り巻き、あるいは崇拝者たちだが、中の一人か二人は知能の遅れた男のようだった。勝手に護衛兵の役を務めているつもりの連中が起こすお決まりの騒動で、玄関の両わきに立つ警護員《ビク》は苦労していた。みな口々に、おまえらは早く帰って、家族と一緒に蠟燭《ろうそく》をともしてお祈りしろ、レベには静かに安息日の夕べの食事をしていただくんだ、と怒鳴り合っていた。頑として居残る構えの者はいないようだが、帰ろうとする者もおらず、根も葉もないホラを吹き合う。最近目撃された奇跡や不吉な前触れのこと、カナダへ移民するための新手の詐欺のこと、大きなハンマーを振りまわす先住民の男の話の四十通りほどある新しいバージョン。その中には、男は〝そは我が勤めなり《アレヌー》〟の祈りを唱えながらユダヤの踊りパッチ・タンツを先住民流に踊ったというものもあった。

ジンバリストのオーバーシューズが広場の雪を踏む音が近づいてくると、男たちは一人、また一人と、蒸気が切れた蒸気オルガンのように鳴りをひそめた。ジンバリストは、ヴェルボフ派の街に五十年暮らしながらも、自発的な選択と余儀ない必要性から、今でもアウトサイダーのままに留まっている。彼は魔術師や呪術師《じゅじゅつ》のたぐいだ。紐を指ではじけば地区全体に音が響き渡る。その手は安息日ごとにみんなの魂から汚れた水をくみ出してくれる。〝境界線の知者〟の柱のてっぺんにのぼった作業員には、あらゆる窓の中が見え、あらゆる電話での通話が聞こえる。あるいは少なくとも、そうなのだとこの男たちは聞かされている。

「通してくれ」〝境界線の知者〟は、渦巻模様を描く錬鉄の美しい手摺《てすり》がある階段のほうへ足を進めた。「同朋《どうぼう》ベルスキー、道を空けてくれないか」

男たちは、ジンバリストが水を満たしたバケツを持って火事場に向かおうとしているとでもいうように道を空けた。そして通り道がふたたび閉じる前に、ランツマンとベルコが進んでくるのを見た。重苦しい沈黙に、ランツマンは両のこめかみが圧迫される気がした。ガス灯に雪がぽつぽつ落ちて小さくはじける音が聞こえる。険しい眼、無頓着《むとんちゃく》な眼、虚《うつ》ろな眼がランツマンの肺から空気を抜きとってしまいそうだ。誰かが言った。

「ハンマーは持ってないみたいだな」

ランツマンとベルコは男たちに安息日の祝いの挨拶《あいさつ》をした。それから玄関の両わきの警護員に注意を向けた。二人とも体格のいい若い男で、髪は赤く、ぎょろ眼で獅子《しし》鼻、牛の胸肉の肉汁のような茶金色の顎鬚《あごひげ》をもじゃもじゃと生やしている。代々レベの警護を担当するルダシェフスキー家の男たちで、単純かつ愚鈍だが、力自慢で、足の動きは敏捷《びんしょう》だった。

「ジンバリスト教授」とドアの左側に立つルダシェフスキーが言った。「今日があなたにとって良き安息日でありますように」

「きみたちにとってもな、同朋ルダシェフスキー。静かな夕方の見張りを邪魔して申し訳ない」ジンバリストは頭に載せた毛皮張りのオットマンのような帽子のかぶり具合を整えた。挨拶こそ慇懃《いんぎん》だったが、警護員の顔は抽斗《ひきだし》を開けてももう硬貨が出てこないといったふうだった。ランツマンはコートのポケットに手を入れた。ジンバリストは両腕をだらりと垂らして立ち尽くしている。ひょっとしたら、すべては自分のせいだと思っているのかもしれなかった。メンデルが神に示された栄光の道からはずれたのはチェスのせいで、だから今こうして自分が父親に悲しい結末を告げなければならないのだと。ランツマンはジンバリストのわきへすり寄り、ポケットの中でカナダ産ウォッカの冷たい瓶の首を手でつかんだ。ポケットごしに、瓶でジンバリストの骨ばった手をつつく。まもなく老人は気づいて、瓶をランツマンのポケットから抜いた。

「よう、ヨッセル。シェメッツ警部だ」ベルコが案内を請《こ》う役を引き継いだ。散乱する光に眼を細め、額に手をかざす。背後の男たちがひそひそ話しはじめた。何かとんでもなく悪いことが起ころうとしていると感じているようだ。風が雪をあちこちへ突き飛ばしている。「調子はどうだい」

「警部」右側のルダシェフスキーが応答した。ヨッセルの兄弟か、従兄弟《いとこ》か。あるいはその両方か。「あなたが来てるって話は聞いていましたよ」

「この男は俺の相棒のランツマン警部だ。すまないが、シュピルマン先生にちょっと会っていただきたいと伝えてくれないか。大事な用でなければ、こんな時間にお邪魔したりはしないんだ」

いかなヴェルボフ派でも、警察の権限がヴェルボフ島にも及ぶことを否定したりはしない。協力的な態度は見せないが、普通は妨害もしない。だが、シトカ特別区で最強の宗教的指導者の家に、神聖な安息日が始まる夕方に入ろうとするなら、それなりの理由が必要だ。たとえば、息子さんが死んだと知らせなければならないとか。

「ちょっと会っていただきたい？」ルダシェフスキーが訊き返す。

「こういうことを言うとあれなんだが、シェメッツ警部」ともう一人の、肩幅がさらに広く手の甲の毛が濃い男が、胸に手をあてながら言った。「もしあんたが百万ドル持っていれば、なんとかなりそうだがね」

ランツマンはベルコのほうを向く。「そんな金、おまえ持ってるか」

ベルコは肘《ひじ》でランツマンをつつく。ランツマンは黒帽子の街で警邏《けいら》勤務についた経験がない。暗い海底を手探りするように進み、住民の無表情や沈黙という水圧に押しつぶされそうになる潜水艦の気分を味わったことがない。しかるべき敬意の払い方を知らない。

「頼むよ、ヨッセル、シュメルル。なあ」ベルコは低く柔らかな声音で懐柔する。「俺も早く自分ちの食卓につきたいんだ。中へ入れてくれよ」

ヨッセルは牛の胸肉でできたマフラーのような顎の贅肉《ぜいにく》をつまんだ。もう一人が低く一本調子につぶやきだす。赤褐色の鬢《びん》の髪の下にマイクつきヘッドセットを隠しているようだった。

「ちょっと尋ねるが」しばらくして警護員は言った。強圧的な構えで口調を硬化させつつも、表情は余裕で和らいでいた。「高名な刑事さん二人が、金曜日の夕方にうちの先生の家を訪ねてくるというのはどういう用事なのかな」

「この馬鹿《ばか》どもが！」ジンバリストが、ウォッカをひと口あおった勢いで、一輪車に乗ったサーカスの熊のようによたよた階段をのぼった。ヨッセル・ルダシェフスキーの上着の襟をつかみ、怒りと悲しみをこめて、一緒に踊りを踊るように、右へ左へ身体《からだ》を揺する。「この二人はメンデル坊ちゃんのことで来たんだ！」

レベの家の前でジンバリストのふるまいを囁き声で批評していた男たちが、黙りこんだ。肺に出入りする息が、詰まった鼻腔《びこう》でスピー、スピーと音を立てる。ガス灯の熱が雪を蒸気に変える。小さな窓が集まってできている世界が壊れていくように、空気がしゃらしゃら音を立てて割れていくようだった。ランツマンはうなじに何かが触れた気がして、思わず手をそこへやった。彼はエントロピーの法則を考慮して行動する人間であり、職業柄と個人的性格から疑り深いほうだ。ランツマンにとって、天国は俗悪な空想、神は一つの単語、魂はせいぜい人間を動かす電池エネルギーにすぎない。だが、ジンバリストがレベの息子の名前を叫んだあとの三秒間の静寂の中、ランツマンは自分たちのあいだで何かが羽ばたいたような気がした。上から何かが降りてきて、その翼が自分たちを撫《な》でたような気が。それは単に二人の殺人課刑事がこんな時間にやってきた理由を男たちが知ったときの、そのはっとした気配が伝わっただけのことかもしれない。あるいは、かつてここの住民たちの甘い希望だった少年の名前の力の名残が作用したのかもしれない。あるいはまた、ランツマンにはユダヤ人が誰も死んでいないホテルでひと晩熟睡する必要があるだけのことかもしれなかった。

ヨッセルはシュメルルのほうを向き、額の厚い肉にぎゅっと皺《しわ》をよせた。知能に優れない粗暴な男なりの優しさでジンバリストを押しとどめる。シュメルルはまた何音節かの言葉をレベの邸宅の奥へ送りこんだ。東を見、西を見る。屋根の上のマンドリン弾きに異状がないか確かめる。屋根の上にはいつもセミ・オートマチックのマンドリンを抱えた男が警戒しているのだ。それからシュメルルは羽目板張りのドアをそっと開けた。ヨッセルは、しゃがんでオーバーシューズの留め金をはずしにかかるジンバリストの頬を軽く手で叩《たた》いた。「さあ、入ってください、刑事さんたち」とヨッセルは言った。

壁に腰板が張られた玄関ホールに入ると、奥にドアがあり、左には二階へあがる木製の階段があった。階段も腰板も床も、松の一種と思われる節の多いバター色の木材の大きな板から切られていた。階段の反対側の壁には低いベンチが置かれている。素材はやはり節の多い松で、座面を覆《おお》う紫色のビロードのクッションは、何十年にもわたってヴェルボフ派ユダヤ教徒の尻《しり》を載せてきたせいで、てかりが出て、凹《へこ》みが六つできていた。

「偉い刑事さんたちはここでお待ちを」

シュメルルはそう言い置くと、ヨッセルと一緒に玄関の持ち場に戻った。ランツマンとベルコは、階段の昇り口の手摺にもたれている第三のルダシェフスキーの無関心そうな監視の眼のもとに置かれた。

「坐《すわ》ってください、教授」とこのルダシェフスキーが言う。

「ありがとう。しかし坐りたくはない」とジンバリスト。

「大丈夫かい、教授」ベルコがジンバリストの腕に手をかけた。

「ハンドボールの壁」ジンバリストはまるで今の問いへの返事のようにそう言った。

「ハンドボールなんぞ、今時誰がやるんだ」

ジンバリストのポケットから覗《のぞ》いているものが、ベルコの眼にとまった。ランツマンはふいにドアのわきにとりつけられた木製の小さな棚に興味を惹《ひ》かれた。そこには二種類のパンフレットがかなりの冊数置いてあった。どちらも上質紙に印刷されたカラフルな冊子だ。一つは『ヴェルボフ派のレベとはどういう人？』というタイトルで、それを見ると、今いるのは公的な入口で、レベの家族が住む棟の出入口はべつにあるのがわかった。ちょうどアメリカ大統領の公邸と同じだ。もう一つのパンフレットは、『ヴェルボフ派ハシディズムの五つの偉大な真実と五つの大いなる嘘《うそ》』と題されていた。

「その映画は観《み》たことあるよ」とベルコが肩ごしにパンフレットを覗きこんで言った。

階段がきしんだ。ルダシェフスキーが、まるでメニューの変更を告げるようにモゴモゴと言った。「バロンシュテイン師です」

ランツマンはバロンシュテインを世間の評判でしか知らなかった。この人物もまた神童で、ラビの資格に加えて世俗的な法学士の学位も持っており、レベの八人いる娘の一人と結婚している。写真は一枚も公表されておらず、ヴェルボフ島を出ることがない。ただし、噂《うわさ》を信じるなら、夜中に南シトカの安モーテルへ密《ひそ》かに赴いて、不正所得を得た者や仕事をしくじった殺し屋に、みずから処罰を与えるとのことだった。

「シェメッツ警部、ランツマン警部。私はレベの秘書の、アリエー・バロンシュテインだ」

ランツマンは相手の若さに驚いた。せいぜい三十歳というところだろう。秀《ひい》でた細い額、墓碑銘の上に置かれた二つの石のように硬質な黒い眼。女の子のような可愛《かわい》らしい口は、ソロモン王ばりの男らしい顎鬚で隠し、その顎鬚には周到にも白髪をまぜて成熟の印象をつくっている。鬢の長い髪はしなやかで整っている。一見我《が》を抑えているかのようだが、服装にはヴェルボフ派の伝統である目立ちたがり屋なところが窺《うかが》えた。むっちりした筋肉質な脚は白い長靴下をはき、それを絹の靴下留めで留めている。細長い足には毛羽のある黒い別珍の室内履き。フロックコートはアッシュ通りの注文仕立てをする〈モーセズ・アンド・サンズ〉の針から離れたばかりといった趣。質素なのは無地のニットのヤムルカだけだ。その下の短く刈った髪は、塗料剝《は》がしローターの接触面のようにぎらついている。顔に警戒の色は見えないが、ランツマンにはそれが用心深く隠されているのがわかった。

「バロンシュテイン師」ベルコが小声で言って帽子を脱ぐと、ランツマンもそれにならった。

バロンシュテインは両手をフロックコートのポケットに入れたままだった。コートの素材はサテンで、襟とポケットの垂れ蓋《ぶた》はベロア。余裕綽《しやく》綽《しやく》に見せようとしているが、ポケットに両手を入れて自然に立つやり方を知らない人間というのはいるものだ。

「いったい用件は何かな」バロンシュテインはわざとらしく腕時計を見る。コットンのシャツの袖《そで》をめくっている時間は、二人の刑事が文字盤にパテック・フィリップという高級ブランド名を読みとるのに充分な長さだった。「もうだいぶ遅い時刻だが」

「シュピルマン師に話があるんだ」とランツマンは言った。「あんたの時間がそんなに貴重なら、それをむだにさせるつもりはない。相手をしてくれなくてけっこうだ」

「むだにされたくないのは私の時間じゃないんだ、ランツマン警部。それと言っておくが、もしきみたちが得意だという評判の無礼で無粋なまねをこの家でする気なら、ここにいてもらうことはできない。わかるかい」

「どうもべつのマイヤー・ランツマン警部と人違いをなさっているようだ」とランツマンは言った。「私は仕事を淡々とこなすほうの男ですよ」

「それなら殺人事件の捜査の一環としてここへ来たのかね。いったいどういう具合にレベが殺人事件と関係するというのか聞かせてもらおうか」

「いや、ほんとにレベとお話ししなくちゃいけない用件があるんですよ」とベルコが言った。「レベがあなたも同席させたいとおっしゃるなら、それでもけっこう。しかし私はあなたの質問に答えにきたんじゃない。誰の時間もむだにする気はないですよ」

「私はレベの相談役であると同時に、顧問弁護士でもある。それは知っているだろう、刑事さん」

「知ってますよ」

「私の事務所は広場の向かいにある」バロンシュテインは玄関のほうへ歩いていき、優雅な物腰のドアマンよろしくドアを開けて押さえた。開いた戸口から降りこむ雪が、ガス灯の光に照らされて、大当たりのスロットマシンから無限に吐き出されるコインのように見えた。「そこでどういう質問にもお答えできると思う」

「バロンシュテインの小僧。その二人の邪魔をするな」

ジンバリストがまた立ちあがっていた。帽子は傾いて片方の耳を覆っている。防虫剤の匂《にお》いを瘴気《しょうき》のように発散するむさ苦しい大きなコートがいかにも情けない。

「ジンバリスト教授」バロンシュテインは警告の口調で呼びかけたが、〝境界線の知者〟の落魄《らくはく》したような姿を見て、おやという眼になった。ジンバリストが些《いささ》かなりとも感情的になるところなど見たことがないのだろう。その様子に明らかに興味を惹かれたようだ。「お気をつけなさい」

「おまえはレベの後継者の地位を狙《ねら》っていた。そしてその望みを果したようだ。今はどんな気分だ」ジンバリストはゆらりと一歩近づいた。二人のあいだにはあらゆる種類の仕掛け罠《わな》のような力関係があるのだろう。だが〝境界線の知者〟は、そうした力関係の地図を頭の中で描きそこねたようだった。「でもあの子は、あんなことになった今でも、おまえよりは生き生きしておるぞ、この蠟《ろう》人形め」

ジンバリストはランツマンとベルコのそばを通り抜け、階段の手摺《てすり》かバロンシュテインの喉《のど》か、どちらかにつかみかかろうとした。バロンシュテインはまったく動じなかった。ベルコが熊《くま》の毛皮のコートのベルトをつかんで、老人を引き戻した。

「誰のことだ」とバロンシュテインは言った。「いったい誰のことを言ってるんだ」ランツマンを見た。「刑事さん、メンデル・シュピルマンの身に何かあったのか」

ランツマンは、あとでベルコとこの反応について批評し合ったが、第一印象は、バロンシュテインは本当に驚いているような声を出したというものだった。

「教授」とベルコが言った。「ご協力ありがとう。助かったよ」そう言ってジンバリストのダウンベストのファスナーをあげ、上着のボタンを留め、熊皮のコートの前を合わせてベルトをしっかり結び直してやった。「でも、もう家に帰ってくれ。ヨッセル、シュメルル。誰かに教授を家まで送らせるんだ。奥さんが心配して警察に電話をかけないうちに」

ヨッセルがジンバリストの腕をとり、階段を降りはじめた。

ベルコは玄関のドアを閉めて寒風を遮断した。「レベのところへ案内してくれ、弁護士先生。今すぐにだ」

16

十代目レベ、ヘスケル・シュピルマンは、不格好な山であり、形の崩れた巨大なケーキであり、窓が全部閉ざされ、洗面台で水がちょろちょろ流れっぱなしになっている漫画の家だった。大人の男を一度も見たことがない盲目の孤児たちが、粘土でつくりあげた人物だった。両腕と両脚を胴体にくっつけ、最後にてっぺんに頭をどんと据えた粘土像。身につけたフロックコートとズボンの黒い上等の絹とビロードの布地は、大金持ちがロールスロイスを包むカバーにできるほどある。その巨大な尻を説明なしに見せられれば、これが謎《なぞ》の深海生物であるか、人造の構造物であるか、それとも自然の気まぐれがつくった奇岩であるかを判定するのに、史上最も優れた十八人の賢者の議論が必要となるだろう。立っても、坐っても、見る者の眼には似たりよったりの姿に見える。それがレベの外見だった。

「面倒な挨拶《あいさつ》は抜きにしましょう」とレベは言った。

声が高く、口調はゆっくり引きのばす感じだが、以前は学者だったに違いないと思わせる端正な話し方だ。ランツマンは、レベには先天的な障害があると聞いていた。巨漢でありながら、食べ物は苦行者のそれで、スープと木の根とパンの皮だけだという。だが、ランツマンはこの人物を暴力と腐敗のガスで膨張しているのだと考えるほうが好きだった。腹に詰まっているのは、人間たちの骨や靴や心臓で、それがレベの定める掟《おきて》の酸でなかば消化されているというふうに。

「そこへ坐って、用件をお話しなさい」

「わかりました、レベ」とベルコは言った。

ランツマンとベルコはそれぞれレベの机の前の椅子《いす》に坐った。執務室は純オーストリア・ハンガリー帝国様式だった。マホガニー、黒檀《こくたん》、鳥眼杢《ちょうがんもく》入りの楓《かえで》などの大きな家具や飾りが壁を埋め、ローマカトリックの大聖堂のように装飾的だ。ドアのそばの隅には有名なヴェルボフ時計が置かれている。これはウクライナで製造されたものの生き残りだった。ソ連が降服したとき、ドイツに運ばれたが、一九四六年のベルリンへの原爆投下も、その後の大混乱も、なんとか生き延びたのだ。針は普通の時計とは逆にまわり、ヘブライ語のアルファベットの最初の十二文字が時刻を表わす。この時計の回収が、ヴェルボフ派の復興の過程で重要な転機となり、ヘスケル・シュピルマンが頭角を現わすきっかけとなった。バロンシュテインがレベの後方右寄りに位置を占める。書見台に向って立ち、片方の眼で窓の外の通りを見、もう片方の眼で先例や判断の根拠を記した書物を参照し、さらにもう一つの、瞼《まぶた》のない内なる眼で、おのが存在の中心に位置する人物を見守った。

ランツマンは咳払《せきばら》いをした。彼が主役であり、進行役を務める義務を負っていた。ふたたびヴェルボフ時計をちらりと見る。ろくでもないこの一週間も残すところあと七分だった。

「話を始める前に」とバロンシュテインが言った。「念のために言っておくが、私はシュピルマン師の顧問弁護士として同席している。レベ、もしもある質問に答えるべきかどうか迷われたときには、どうかお答えにならないでください。私のほうからお二方に質問の内容を説明するか、言葉を変えるかするよう求めますから」

「これは尋問じゃないんですがね、バロンシュテイン師」とベルコが言う。

「きみが同席するのは大歓迎ですよ、アリエー」とレベが言った。「それどころか、ぜひいてもらいたいと思っています。ただしそれは私の秘書、そして婿《むこ》としてだ。顧問弁護士としてではなくね。この話し合いに弁護士は不要なので」

「お言葉ですが、レベ、この二人は殺人課の刑事。あなたはヴェルボフ派のレベ。そのあなたに弁護士が必要ないなら、必要がある人などいません。でもこれは信じていただきたいのですが、弁護士は誰にとっても必要なのです」バロンシュテインは黄色い用箋《ようせん》の綴《つづ》りを書見台の下から引き出した。おそらくそこには瓶入りの毒や人間の耳でつくった首飾りなども入れてあるのに違いない。バロンシュテインは万年筆のキャップをはずした。「少なくともメモはとらせていただきます。この――」まじめくさった顔で言う。「法律用箋で」

レベは肉の砦《とりで》の奥深くからランツマンを見つめていた。眼の色は明るく、緑と金のあいだのどこかに位置している。墓参客が墓石の上に置いていった小石のようなバロンシュテインの眼とは全然違っていた。ランツマンが何を失ったか、何を空費してしまったか、懐疑と不信心と強面《こわもて》ぶる態度によって何を手から落としてしまったかを知っている眼だった。ランツマンの良き意図の飛翔《ひしょう》経路を狂わせた激しい震えを理解していた。ランツマンが暴力と懇《ねんご》ろになり、街で誰かの肉体を破壊するか自分の肉体を破壊されるかの荒っぽい駆け引きに血道をあげていたことも見通していた。今の今まで、ランツマンはシュピルマンという人物をまるで理解していなかった。ほかの警官たちもそうだし、ロシアン・マフィアの幹部やチンピラ、FBI、国税局《IRS》、アルコール・煙草・火器局《ATF》もそうだった。教派であると同時に犯罪組織でもあるヴェルボフ派を、ほかの教派がなぜ許容し、敬意すら示すのか、ランツマンは今初めて理解した。こういう眼を持った人物なら、人々を導くことができる。どんな深淵《しんえん》の縁へも赴かせることができるだろう。

「きみたちがここへ来た理由を話してくださいな」とレベは言った。

執務室の外の控えの間からドアを通して、こもった電話の呼び出し音が聞こえた。レベの机にもどこにも電話機は見当たらない。レベは眉《まゆ》と眼の小さな動きで手旗信号を送る離れわざをやってのけた。バロンシュテインが万年筆を置く。黒服に包まれた身体《からだ》を隣の部屋へ滑りこませるために ドアを開けると、電話の音は膨れあがり、閉めるとまたしぼんだ。まもなく電話に出る声が、ランツマンの耳に届いてきた。言葉は不鮮明で、口調はそっけない。というより、突《つ》っ慳貪《けんどん》ですらあった。

レベはランツマンの盗み聞きしようとする顔に気づいて、眉まわりの肉にさらなる負荷をかける。

「ええ」とランツマンは応《こた》えた。「じつはですね。私はたまたま〈ザメンホフ・ホテル〉に住んでるんです。あまりいいホテルじゃありません。マックス・ノルダウ通りにあります。ゆうべ夜勤の支配人がやってきて、べつの客の部屋を見てほしいと言われました。まず支配人は、その客が麻薬の過剰摂取でどうかなっていやしないかと心配になって、自分で部屋に入ってみたというんです。そうしたら、どうやら死んでいるようだと。その客は偽名で滞在していました。身元がわかるものは何も持っていません。ただ、手がかりになるものが部屋の中にいくつかあった。それで同僚と一緒にその手がかりの一つを追っていたら、ここへたどり着いたわけです。おそらく――いや、ほぼ間違いなく――亡《な》くなった宿泊客はあなたの息子さんです」

ランツマンが説明しているあいだに、バロンシュテインがそっと執務室に戻っていた。柔らかな布で拭《ぬぐ》ったように、顔には表情の指紋も染《し》みもなかった。

「ほぼ間違いなく」とレベは物憂《ものう》げに言う。顔は筋一つ動かないが、眼の光り具合だけが変わった。「なるほど。ほぼ間違いないと。手がかりがいくつかあったと」

「写真があります」とランツマンは言った。愛想のない手品師のような顔で、またシュプリンガーの撮った二〇八号室の死んだユダヤ人の写真をとりだす。それをレベのほうへ差し出そうとして、気の毒だと思い直し、手をとめた。

「ここは一つ」とバロンシュテインが口を出した。「まず私が――」

「いや」とレベは言う。

そしてランツマンから写真を受けとり、両手で持って顔に近づけた。右眼のすぐ近くまで引き寄せる。要は近視なだけだが、その仕草には、あたかも眼をヤツメウナギの口にして、写真から生き血を吸おうとする吸血鬼めいたものがあった。レベは写真を上下左右に見た。表情はまるで変わらない。やがて写真を乱雑な机上におろし、舌打ちを一つした。バロンシュテインが写真を一瞥《いちべつ》しようと前に出てくる。が、レベが手で追い払った。「あの子ですね」

ランツマンはもろもろの計測器の感度を最大限にあげ、バロンシュテインの眼の奥から失望ないしは喜悦がかすかに放射されはしないかと注意をこらした。放射物は、あった。粒子が飛び出しざまに引く短い光の尾が、双眸《そうぼう》を明るませた。ただし、ランツマンがその瞬間に認めたのは、意外にも失望の光だった。一瞬バロンシュテインは、スペードのエースを引いてしまい、無駄になったダイヤ揃《ぞろ》いの手札の扇を眺める人のように見えた。短い息を一つ、なかばため息のように吐《つ》いて、ゆっくりと書見台に戻った。

「銃で撃たれたと」とレベが言う。

「銃弾は一発」とランツマン。

「犯人は誰ですか」

「それは、わかりません」

「目撃者は」

「今のところはまだ」

「動機は」

ランツマンはまだわからないと答え、裏書を求めてベルコを見る。ベルコは重苦しくうなずいた。

「銃で撃たれた」レベは、まるで感心したように首を振った。〝どうでしょうね、この趣向は〟というように。声にも態度にもそれとわかる変化を見せずにこう続けた。「あなたは元気ですか、シエメッツ警部」

「まあまあです、シュピルマン師」

「奥さんや子供さんたちは元気なの」

「まずまずです」

「息子さんはお二人でしたね。一人はまだ赤ちゃんで」

「そのとおりです」

たっぷりした頰の肉が、承認あるいは満足のしるしに震えた。レベはベルコの息子たちのために型どおりの祝福の言葉をつぶやいた。それから視線をランツマンのほうへ流す。ひたと見据えられて、ランツマンはぎくりとした。レベはすべてを知っている。モザイク型染色体のことも、ランツマンが苦労して手に入れた幻想を維持するために自分の息子を犠牲にしたことも。そして今、レベはジャンゴにも祝福を与えようとしている。だが、レベは何も言わなかった。ヴェルボフ時計の歯車は嚙《か》み合いつづける。ベルコは腕時計を見た。家に帰って蠟燭《ろうそく》をともし、ワインを飲む時間だった。息子たちのところへ帰る時間だった。お腹《なか》のどこかにもう一人の子供の紐《ひも》のついた身体をしまいこんでいるエステル＝マルケのところへ。ベルコとランツマンは、今日の日没後にこの家を訪ねて事件を捜査していいという安息日の適用免除を受けていなかった。しかもその事件は公式には存在していない。誰の命もかかっていない。誰を救おうにも、できることは何もないのだ。この部屋にいる面々を救おうにも、ランツマンたちがここへ来る理由となった憐《あわ》れな死者を救おうにも。

「シュピルマン師」

「なんでしょう、ランツマン警部」

「大丈夫ですか」

「あなたには私が〝大丈夫〟なように見えますか、ランツマン警部」

「あなたにお会いする栄誉にあずかったのは今日が初めてですが」とランツマンは慎重に言った。レベの威光に敬意を払ってというより、ベルコをやきもきさせないためだった。「正直なところ、大丈夫そうに見えますね」

「疑惑を招くほどに？　たぶん私はあなたの心証を悪くしているんでしょうね」

「レベ、どうか冗談はやめてください」とバロンシュテインが言った。

「それについては」ランツマンは弁護士を無視して答えた。「意見は控えることにします」

「私にとっては、息子はとっくに死んでいたのですよ。もうずいぶん前にね。私は久しい以前にわが衣を裂き、服喪の祈り《カディッシュ》を唱え、蠟燭をともしたのです」怒りと苦々しさを伝えうる言葉だったが、口調は驚くほど感情を欠いていた。「〈ザメンホフ・ホテル〉で発見されたのが――確か〈ザメンホフ〉でしたね？――発見されたのがかりに私の息子だったとしても、それはあの子の殻にすぎません。実はとっくにえぐり出され、腐ってしまっていました」

「殻ですか、なるほど」とランツマンは言った。

子供がヘロイン中毒者になってしまったらどんなに辛《つら》いかは、ランツマンにも理解できた。その辛さを押しこめてしまい、冷やかな態度で通す人たちも見たことがあった。だが、みずからの衣服の襟を引きむしり、まだ生きている子供のために喪に服するユダヤ人を見ると、腹立たしさがこみあげてくる。それは生者と死者の両方を愚弄《ぐろう》することのように思えるからだ。

「いいでしょう。ときに、こんな話を聞きました」とランツマンは続けた。「私自身はそれを理解していると言うつもりはないんですが、あなたの息子さんがですね――子供の頃――ある種の兆候というか……これが正しい呼び方なのかどうかわからないが……その世代の正義の人《ツァデク・ハードール》というんですかね。もろもろの条件が整って、その世代のユダヤ人に救われる資格があるとなったら、救世主《メシア》になったかもしれないという話なんですが」

「それは馬鹿《ばか》げた話ですよ、ランツマン警部」とレベは応えた。「あなたはそれを聞いて笑ってしまったでしょう」

「とんでもない。しかし、かりに息子さんが救世主になるはずだったとしたら、私たちは困った立場にいるわけです。なぜなら息子さんは今、シトカ総合病院の地下の霊安室にいるんだから」

「マイヤー」とベルコが言った。

「あなたがたに充分な敬意を払いつつ言うんですがね」とランツマンはつけ足した。

レベはすぐには答えなかったが、次に口を開いたときには、ごく慎重に話した。「私たちはハシディズムの創始者である敬愛すべきバル・シェム・トフから、どの世代にも一人、救世主になりうる人物が生まれると教えられています。その人物がツァデク・ハードールです。さて、あなたはメンデルのことを持ち出しました。わが息子メンデルのことを」

レベは眼をつぶった。記憶をたぐっているのか。涙を押しとどめようとしているのか。また、眼を開く。眼は乾いている。レベは思い出を語った。

「メンデルは子供の頃、優れた性質を示しました。奇跡を起こしたというのではありません。奇跡はツァデクにとって重荷になるものだから、ツァデクであることの証拠にはならないのですよ。メンデルには何かありました。それは火とでも言いましょうかね。ここは冷たい、暗い土地です。灰色の、湿った土地です。メンデルは光と温かみを投げかけました。人はあの子のそばに立ちたがりました。手を温め、顎鬚《あごひげ》の氷を溶かすために。ほんの一時、闇《やみ》を追い払うために。でも、メンデルのそばを離れても、人はやはり温かいままなのです。この世界は蠟燭一本分ほど明るくなっているように感じるのです。そのとき人は、火は初めから自分の中にあったことに気づく。それが奇跡とやらの正体です。それだけのことです」レベは顎鬚をしごいた。言い忘れたことはないか思い出そうとするように。「ほかの何物でもありません」

「最後に息子さんに会ったのはいつです」とベルコが訊いた。

「二十三年前です」レベは間をおかず答えた。「エルール（グレゴリオ暦の八‐九月にあたるユダヤ暦の月）の二十日。それ以来、この家では誰もあの子と話していないし、会ってもいません」

「お母さんもですか」

この質問には全員が衝撃を受けた。問いを発した当人のランツマンでさえ。

「ランツマン警部。あなたは私の妻が、どのような問題についてであれ私の権威を突き崩すようなことを試みると思っているのですか」

「私はあらゆることを想定しているだけです、シュピルマン師」とランツマンは答えた。「他意はありません」

「きみはここへ来る前に」とバロンシュテインが口をはさむ。「メンデルを殺害した犯人について何か仮説を立てていたのか」

「じつを言うと――」とランツマンが答えはじめる。

「じつを言うと」とレベがランツマンをさえぎった。机の上から一枚の紙をとりあげた。机の上は論文、広報、禁止令、機密文書、加算器のテープ、要注意人物の行動監視報告書などでとり散らかっている。レベは書類をトロンボーンのスライドよろしく前後に動かして眼の焦点を合わせた。「この二人の殺人課刑事には本件を捜査する許可を与えられていない。違いますか」

レベは書類を置いた。ランツマンは、レベの眼の中に見えるものが一万キロの彼方《かなた》まで続く氷海だけなのはいったいなぜなのかといぶかった。彼は衝撃を受けた。その氷海に突き落とされた気分だった。沈まないためには、冷笑の浮き輪にしがみつくしかない。ラスカー殺害事件を迷宮入りさせろという意向はこのヴェルボフ島から来たのか。レベは息子が〈ザメンホフ・ホテル〉の二〇八号室で殺されたことをとっくの昔に知っていたのか。ひょっとして、レベ自身が息子を殺す命令を出したのか。シトカ特別区警察本部の殺人課は以前からレベの指図を受けながら仕事をしてきたのか。度胸を据えてこれらの質問をしてみたら、面白いことになるだろうに。

「メンデルは何をしたんです」ランツマンはようやくそう訊《き》いた。「あなたに早々と死んだも同然とみなされたのはなぜです。彼は何を知ったんです。そのことで言うなら、あなたがたは何を知っているんです、レベ。バロンシュテイン師。あなたがたが何かやっているのはわかってます。わからないのはどういう段取りをつけたかだ。このけっこうな島を見渡してみればわかりますよ。こう言っちゃなんだが、あなたはでーんと重たく構えてるじゃないですか」

「マイヤー」とベルコが警告をこめて言った。

「あなたはもうここへ来てはいけませんよ、ランツマンさん」とレベは言った。「この家の誰に嫌がらせをするのも、この島の誰を困らせるのもやめてもらいましょう。ジンバリストに近づいてはいけない。私にも近づかないでくださいね。この島の住民に煙草《たばこ》の火を借りただけでも、その知らせが私に入りしだい、あなたの警察バッジをいただきますから。わかりましたか」

「あなたがたに充分な敬意は払うが――」とランツマン。

「それはあなたの空疎《くうそ》な口癖みたいですね」

「それならそれでいいが」ランツマンは折られた腰を立て直す。「かりに何かの障害でデブデブ太ったやくざの親分から手を引けと言われるたびに一ドルずつ貯金していたら、今頃私は大金持ちだ。あなたがたに充分な敬意は払いつつも言わせてもらうと、私だってこんなところに坐《すわ》って、息子が死んでも涙一つ流せない男の脅し文句を聞いていなくてもすんだでしょう。しかもその男は息子が早死にするよう仕向けた人間かもしれない。二十年前のことだか、ゆうべのことだかは知りませんがね」

「私をヒルシュベイン通りのちんけなやくざ者と間違えないでくださいね」とレベは言った。「私はべつにあなたを脅しているわけではないのですよ」

「そうなのか。じゃ、なんです。祝福してくれているんですか」

「こうしてあなたを見ているとね、ランツマン警部。あなたも私の可哀想《かわいそう》な息子と同じで、神様からすばらしい父親を与えられなかった人らしいとわかりますよ」

「ヘスケル師！」バロンシュテインが声をあげた。

だが、レベは側近の警告を無視して先を続け、ランツマンに俺の父親について何を知っているんだと問う暇を与えなかった。

「私にはすぐわかりました。これまたメンデルと同じで、あなたは今より昔のほうがすごい人だったとね。あなたは優秀な刑事だったのでしょう。でも、賢明な人ではなかったんじゃないかしら」

「ま、賢明の正反対ですね」とランツマン。

「それなら私の言葉を信じたほうがいいですよ。あなたは残された時間をもっとべつのことに使うべきです」

ヴェルボフ時計の中で、ハンマーと鐘の古風な仕掛けが、その仕掛け以上に古いメロディーを奏《かな》でた。それはユダヤのすべての家庭と礼拝所が、花嫁に喩《たと》えられる安息日を迎えるためのメロディーだった。

「時間切れだ、ご両人」とバロンシュテインが告げた。

二人の刑事は腰をあげ、安息日の祝福の挨拶《あいさつ》を交わしたあと、帽子をかぶってドアへ向かった。

「どなたかに遺体の確認をお願いしたいんですがね」とベルコが言った。

「道端で公衆に公開されるのが嫌ならね」とランツマンは言った。

「明日、人を遣《や》ります」とレベは応《こた》えた。坐ったまま椅子《いす》を回転させて、二人に背中を向けた。しばらく頭《こうべ》を垂れたあと、壁のフックにかけた一対のステッキをとる。ステッキには金の装飾模様がある銀の握りがついていた。ステッキの先をカーペットに突き立て、古い機械のようにうなりを洩《も》らしながら立ちあがった。「安息日が終わりましたらね」

バロンシュテインもランツマンたちのあとから、ルダシェフスキーのいる玄関ホールに出た。一同の頭上で、書斎の床が悲しげにきしむ。ステッキを突く鋭い音と、樽《たる》に溜《た》まった雨水が揺れるようなレベの足音が聞こえた。家の奥で家族が集まり、レベがやってきて祝福してくれるのを待っているのに違いなかった。

バロンシュテインが玄関のドアを開けた。シュメルルとヨッセルが入ってくる。帽子と肩に雪を積もらせ、灰色の眼にも雪の冷たさを湛《たた》えていた。兄弟だか従兄弟《いとこ》だか兄弟にして従兄弟だかわからないが、三人のルダシェフスキーが三角形をつくり、ランツマンとベルコを囲んだ。

バロンシュテインが細い顔をランツマンの顔にぐっと近づけてきた。ランツマンは、トマトの種と煙草とサワークリームの匂《にお》いを嗅《か》ぐまいと鼻で息をするのをとめた。

「ここは狭い島だが」とバロンシュテインが言った。「優秀な刑事ですら迷子になって帰ってこれなくなる場所が千ほどある。だから気をつけることだ、刑事さんたち。いいね。では、ご両人にとって良き安息日でありますように」

17

ランツマンの姿を見よ。ズボンからシャツの裾《すそ》の一部がはみ出て、雪をかぶった帽子は左に傾いている。コートは親指で後ろ襟を引っかけて肩にかけている。カフェテリアの空色のチケット。頰は髭剃《ひげそ》りの必要がある。背中がひどく痛む。何か本人にも理解できない理由で——あるいはべつに理由もなく——朝の九時三十分からアルコールは一滴も飲んでいない。吹雪が荒れ狂う金曜日の夜九時、〈北《ポラール》極《・シュテルン》星カフェテリア〉のクロームとタイルの寒々しい店内にいるランツマンは、シトカ特別区で一番孤独なユダヤ人だった。彼は自分の中で暗い抵抗しがたいものが動くのを感じていた。ちょうど山の斜面で百トンほどの黒い泥が集まり、なだれ落ちようとしている感じだ。食べ物のことを考えただけで吐き気がする。〈北極星カフェテリア〉の最高のお薦め料理である金の延べ棒に似たヌードルプディングを思い浮かべてすら。と言っても、今日は一日中何も食べていないのだが。

本当のことを言えば、ランツマンはシトカ特別区で一番孤独な人間などでは断じてなかった。彼はそう考えてみた自分をさげすんだ。そんな自己憐憫《れんびん》にまみれた考えを抱くのは、螺旋《らせん》状に渦を巻きながら下へ下へと降りていく穴のまわりをうろうろしている証拠だった。このコリオリの力に抵抗するために、ランツマンがいつも採る方法は三つある。一つは仕事。だが、仕事はもう正式に形だけの暇潰《ひまつぶ》しとなった。もう一つは酒。酒は穴の中の落下をより速く深く長いものにしつつ、それで構わないという気分にさせてくれる。三番目は、ものを食うこと。というわけで、こうして青いチケットとトレイを手に、ガラスのカウンターをはさんで大柄なリトアニア系ユダヤ人女性と向き合っている。女性は頭をヘアネットで包み、ポリエチレンの手袋をはめて、スプーンとフォークで食べ物を皿によそうのが仕事だ。

「チーズブリンツ（チーズを薄いパンケーキで包んで焼いたもの）を」ランツマンはチーズブリンツなど食べたくはなく、今夜のメニューにあるかどうかを確かめるのも面倒だった。「元気かい、ネミンツィナーさん」

ネミンツィナー夫人は青い縁取りのある白い皿に、形の崩れていないブリンツを三つ、そっと載せた。夫人はシトカの孤独な人たちの夕食を彩《いろど》るために、レタスの葉を敷きつめた上に小粒の林檎《りんご》のピクルスを数十個載せた料理も用意していた。夫人はこの赤いコサージュを一つとり、ランツマンの大皿に飾った。それからチケットにパンチ穴を開け、皿を突き出した。「元気なはずがありますか？」

ランツマンは、自分には答えられない問いだと思った。カッテージチーズの詰まったブリンツの皿を載せたトレイをコーヒーポットのある場所へ運び、マグカップいっぱいにコーヒーを注いだ。レジ係にパンチ穴を開けたチケットを渡し、代金を払う。それから荒涼たるダイニングエリアを横切り、シトカ一の孤独を競う二人のライバルのそばを通って、お気に入りのテーブルに向かった。玄関側の窓のそばで、表の通りを見張っていられる場所だった。隣の席にはコーンビーフと茹《ゆ》でジャガイモを半分残した皿と、黒サクランボの炭酸飲料らしきものを半分残したグラスが放置されている。残された飲食物と汚れて丸められた紙ナプキンに、ランツマンは軽い吐き気を覚えた。だが、ここは自分のいつもの席であり、刑事である以上は表の通りを見張っていたい。ランツマンは腰をおろして、紙ナプキンを襟から吊《つ》るし、チーズブリンツを細かく切って、数切れを口に入れる。それを嚙《か》む。嚥《の》みこむ。よし、いい子だ。

今夜のライバルの一人は、ペンギン・シムコヴィッツという名の三流の呑《の》み屋で、何年か前に誰かから預かった大金の扱いにしくじり、やくざ者《シュタルケル》たちから袋叩《ふくろだた》きにあって、脳の言語中枢《ちゅうすう》がぐしゃぐしゃになってしまった。もう一人の、鰊《にしん》のクリーム和《あ》えに取り組んでいるほうは、ランツマンの知らない男だった。左眼が茶色い絆創膏《ばんそうこう》でふさがれ、眼鏡には左のレンズがない。髪は頭の前のほうに灰色の羽毛のような小さなまとまりが三つあるだけ。頬には剃刀《かみそり》負けの跡がある。この男が鰊の上で泣きだしたとき、ランツマンは自分のキングを倒して負けを認めた。

それから妄想の考古学者とも言うべき、ブッフビンダーを見た。ブッフビンダーは歯科医で、ペンチや蠟《ろう》型の扱いが巧みなところから、歯科医によくあることだが細かい手作業を趣味にし、余暇にアクセサリーやドールハウスをつくっていた。それから、これまた歯科医にありがちなことだが、ブッフビンダーの趣味は少々度を過ごしたものに発展した。ユダヤ人の心の奥深くにひそむ古い狂気にとらえられていた。古代の祭司が神殿で使っていた食事用器具や衣装をつくるようになったのだ。初めのうち作品はミニチュアだったが、やがて実物大になった。贖罪《しょくざい》の献《ささ》げ物にする動物の血を受ける桶《おけ》、肉刺し、灰をすくうシャベルなども、レビ記などに書かれている古代ユダヤのバーベキューの作法どおりに再現した。そしてこうした作品を並べた博物館をつくったが、それはまだイブン・エズラ通りのうらぶれた外れにあるかもしれない。あるとすれば、場所はブッフビンダーが低所得者の歯を抜く診療所と同じ建物の一階だ。通りに面したウィンドーにはボール紙でつくったソロモンの神殿が飾られているが、砂嵐《すなあらし》の砂のかわりに埃《ほこり》が溜まり、天使に混じって蠅《はえ》の死骸《しがい》も飾られているはずだった。博物館は近所の麻薬中毒者たちによく荒らされた。貧窮地区の警邏《けいら》任務についていた頃、午前三時くらいに通報を受けて出向くと、ガラスの割れたショーウィンドーの中でブッフビンダーがすすり泣いており、祭司が使う銅に金メッキをした香炉の中で人糞《じんぷん》が臭《にお》っていたりしたものだ。

そのブッフビンダーがトイレからコーンビーフと黒サクランボの炭酸飲料のところへ

戻ってきた。ランツマンを見て、不審の念からか近視のせいか、眼を細めた。ズボンのファスナーをあげながら、こちらに向かって歩いてくる。世の中についての卓抜にして無益な洞察を得た人のように放心して見えた。ブッフビンダーは恰幅《かっぷく》のいいドイツ系ユダヤ人で、ラグラン袖《そで》でニットのサッシュベルトがついたカーディガンを着ていた。腹の曲線とサッシュベルトのあいだには過去に不和があったことがうかがえるが、今は協調関係が成立しているように見えた。ツイードのズボンをはき、足にはハイキング・スニーカー。頭髪と顎鬚《あごひげ》は暗い色のブロンドで、そこに白髪が混じっていた。頭のつむじのところには刺繡《ししゅう》用毛糸で編んだヤムルカを金属のクリップで留めている。街で寄付を求める身体障害者に小銭をあげる人のように、ランツマンのほうへ微笑《ほほえ》みを投げてきたが、すぐに上着のポケットから活字の詰まった本を出して、食事を再開した。本を読みながら身体《からだ》を前後に揺らし、食べ物を咀嚼《そしゃく》する。

「あの博物館はまだあるんですか、先生」とランツマンは訊いた。

ブッフビンダーは怪訝《けげん》そうな顔をあげ、ブリンツを食べているこの煩《わずら》わしい男は何者だと考える表情をした。

「ランツマンです。シトカ警察の。覚えてませんか。以前――」

「ああ、はい」歯科医は締まった笑みを口元に刻んだ。「お元気ですか。あれは博物館じゃなくて研究所ですがね。まあかまわないけれど」

「すみません」

「なに、べつにかまいません」イディッシュ語は滑らかだが、そこにドイツ語特有の固い針金が一本通っている。シトカへ来て六十年たってもそういう癖は消えないのだ。

「よくある間違いです」

そう〝よくある〟わけでもないだろうとランツマンは思ったが、こだわらないでおいた。「今でもイブン・エズラ通りにあるんですか」

「いや」歯科医ブッフビンダーはナプキンで唇についたブラウンマスタードを拭《ふ》いた。

「あそこは閉鎖いたしました。公式的かつ永久的に」

話の中身に合わない、演説でもするような仰々しい言い方だ。

「まあ、あの辺は治安がね」とランツマンは見当をつけてみる。

「ええ、あそこの連中はけだものでした」ブッフビンダーは元気のいい話し方を続ける。

「ほんとにもう何度泣かされたことか」フォークに刺したコーンビーフの最後の残りを口に運び、歯による適切な処置にゆだねた。「でも、今度の場所へはやってこないと思いますよ」

「それはどこです」

ブッフビンダーはにっこり笑い、顎鬚を軽くひと揉《も》みしてから、椅子をうしろに引いて立ちあがる。片眉《まゆ》をあげ、勿体《もったい》をつけて間を置いた。

「決まってるでしょう」とようやく発表する。「エルサレムです」

「それはすごい」ランツマンはまじめな表情を保った。ユダヤ人のエルサレム移住が認められる基準を詳しく知っているわけではないが、偏執的な信心家の優先順位が高いはずはなかった。「エルサレムですか。ずいぶん遠いな」

「まあね」

「お仕事の道具も全部？」

「もう一切合財ね」

「向こうにお知り合いがいるんですか」

大昔からずっとそうだったように、エルサレムにはユダヤ人が少数ながら住みつづけていた。シオニストたちがヘブライ語辞典や農業書をトランクに詰めこんで出かけ、数々の紛争を引き起こす前からそうだった。

「というわけでもないんですが、ただ――あれです」ブッフビンダーは間をおいて声を低めた。「救世主がいらっしゃるから」

「ああ、なるほど」とランツマンは言った。「救世主はあの土地のすばらしい人たちのあいだにいるそうですね」

ブッフビンダーはうなずいた。角砂糖のように甘い夢の聖域で完璧《かんぺき》に守られていた。

「一切合財の引っ越しです」本を上着のポケットに戻し、カーディガンの上へ着古した青いアノラックを着こんだ。「じゃ、おやすみなさい、ランツマンさん」

「おやすみなさい、先生。救世主によろしくお伝えください」

「いや、その必要はないですね」とブッフビンダーは言った。

「伝える必要はないのか、伝えても意味がないのか、どっちですか」

ふいにブッフビンダーの愉《たの》しげな眼が、歯科医の丸い鏡のように硬質な光を放った。二十四年間、口中の弱りと腐れをたゆまず探しつづけてきた眼の洞察力が、ランツマンの今の状態を査定した。ブッフビンダーの頭はおかしくないのでは、とランツマンは思った。

「それはあなた次第です」とブッフビンダーは言った。「違いますかな」

18

ブッフビンダーは店を出がけにドアを押さえ、斜めに降りこむ雪とともに派手なオレンジ色のパーカを通した。ビーナは例によって中身を詰めこみすぎた古い牛革のトートバッグを肩にかけていた。覗《のぞ》いている書類には、黄色いアンダーラインやホッチキスやペーパークリップや色つきセロテープの飾りがついている。ビーナはパーカのフードを押しあげた。髪を無造作にまとめてヘアピンで留めると、あとは頭のうしろで自分で身を守れとばかり放っておく。その髪の色はなんとも懐《なつ》かしい色合いで、ほかにそういう色を見たのはただ一度、赤みがかった暗いオレンジ色の怪物のようなかぼちゃ《パンプキン》を生まれて初めて畑の中で見たときだけだ。ビーナはバッグをチケット売り場の女性に預けた。回転式ゲートを通り抜け、トレイの山に向かってくる。もうすぐ彼女の視界の真ん中に自分が入るだろう。

ランツマンは、彼女を見なかったことにするという分別ある決断をくだした。窓の外のハリアストレ通りを眺める。雪はもう十センチ以上積もっているようだ。三組の足跡が蛇行して交錯し、それぞれの輪郭が新たに降った雪でぼやけている。通りの向かいは

〈クラズニー煙草《たばこ》・文房具店〉で、窓に打ちつけた板には昨夜〈ボルシチ〉で行なわれたギター演奏のちらしが貼《は》ってあるが、よく見ると出演者はトイレで指輪と現金を奪われて転がっていたギタリストだった。角の電柱からは錯綜《さくそう》した電線が八方に伸び、この大いなる想像上のユダヤ人ゲットーのエルーヴの壁や出入口をなしていた。ランツマンの無意識の刑事根性がその情景の細部を頭に記録する。だが意識的な思考は、ビーナがこちらに眼をとめる瞬間に集中していた。一人でテーブルについてブリンツを食べている自分の姿を見て、声をかけてくる瞬間に。

　その瞬間が訪れるまでの甘やかな時間が長引いた。ランツマンはふたたび見てみるリスクを犯した。ビーナはすでにトレイに食べ物を載せ、こちらに背を向けてレジで釣銭を待っていた。だが、もうこちらの姿を眼にとめたに違いない。いよいよ黒い泥が崩れて山の斜面をなだれ落ち、黒い壁となって押し寄せてくるときが来た。ランツマンとビーナは十二年間結婚生活を送り、その前には五年間同棲《どうせい》していた。互いに初めて恋をした相手で、初めて浮気をされた相手で、初めて自分の避難所だと思い定めた相手で、初めて一緒に暮らした相手で、何につけ最初に話をする相手で、結婚生活も含めて何かがうまくいかなくなったときには最初に相談した相手だった。これまでの人生の半分以上のあいだ、生活も、身体も、好き嫌いも、物の考え方も、食事のメニューも、読む本も、レコードやCDのコレクションも、どれがどちらのものかわからなくなるほど絡《から》み合ってきた間柄だった。喧嘩《けんか》をするときには、鼻と鼻を突き合わせ、唾《つば》を飛ばしながら派手に怒鳴り合い、手を出し合い、物を投げ、蹴飛《けと》ばし、壊し、あげくの果てには髪をつかみ合って地面や床を転がる取っ組み合いもした。そんな日の翌日には、ランツマンの頬や胸には赤い三日月型の爪跡《つめあと》が残り、ビーナの手首には腕輪のような紫の指跡がついていた。同棲を始めてから七年ほどはほとんど毎日愛を交わした。激しい愛、睦《むつ》み合う愛、病んだ愛、健やかな愛、冷たい愛、熱い愛、居眠り半分の愛。いろいろなベッド、ソファー、クッションの上で愛し合った。マットレス、バスタオル、古いシャワー・カーテン、ピックアップ・トラックの荷台、大型ごみ収容器のうしろ、給水塔のてっぺん、〈エサウの手〉のディナー・パーティ会場のコート掛けの中。警察署の休憩室に生えた例のサルノコシカケの上で交わったことすら――一度だけ――ある。

ビーナが麻薬犯罪課から移ってきたあとは、まる四年間、殺人課の同僚として働いた。ランツマンの相棒は、最初はゼリー・ボイブリカーで、次がベルコ。ビーナはモリス・ハンドラーと組んでいた。そんなある日、そもそもの初めに二人を出会わせたのと同じ悪戯者《いたずらもの》の天使が、モリス・ハンドラーとベルコの休暇を重複させ、ランツマンとビーナを一度だけ、グリンシュテイン事件でコンビにするというはからいをした。二人は挫折《ざせつ》の連続に耐えた。毎日の捜査の不首尾、夜のベッドでの不首尾、シトカの街頭での不首尾。アリエラという小さな女の子が殺された事件だった。両親のグリンシュテイン夫妻は精神的にぼろぼろになり、互いに憎み合い、遺体が発見された穴から抜け出せなくなったが、ランツマンとビーナもその穴を共有するはめになった。その後、ジャンゴの一件が出来《しゅつたい》した。ジャンゴはグリンシュテイン事件での挫折から、あの小さな女の子の形をした穴から、生を享《う》けたようなものだった。ビーナとランツマンは互いに縒《よ》り合された存在であり、謎《なぞ》の欠陥を抱えた一対の染色体だった。そして今は？　今は、互いに相手を見なかったふりをして眼をそらす関係だ。

ランツマンは眼をそらしていた。

雪の上に残る足跡が天使のそれのように浅くなっていた。通りの向かいを見ると、小柄な男が前傾姿勢で風にあらがいながら、重いスーツケースを引っぱり、〈クラズニー〉の板を打ちつけた窓の前を通っていく。帽子の広いつばが鳥の翼のように羽ばたいている。ランツマンは預言者エリヤが吹雪の中を進んでいくのを眺めながら、自殺の方法を考えた。これは気持ちの落ちこみに抵抗する四つ目の方法だ。もちろん、度を過ごさないよう注意しなければならないが。

ランツマンは、父親と父方の祖父が自殺しているが、それとはべつに、人が自分の人生にけりをつけるときの方法をいろいろ見てきた。その中には効果的なものもあれば、そうでないものもある。ランツマンは、どうやるべきか、またやるべきでないかを知っている。橋やホテルの窓からの飛び降りは、視覚的に華々しいが、いろいろ問題が多すぎる。階段落ちはあてにならないし、たいてい突発的な衝動でやるものだから、事故死にかなり近い。手首を切るのは人気が高いが、バスタブに浸《つ》かる型（本当は無意味な手順）を採る採らないを問わず、想像以上に難しいものだし、少女趣味的に芝居がかっているとも言えなくもない。日本刀で腹を切る儀式は、たいへんな作業で、介添え人が必要なうえ、ユダヤ人がやるのは気障《きざ》すぎるかもしれない。ランツマンはそれの実行例を見たことはないが、見たことがあると言っている警官を一人知っていた。ランツマンの祖父はポーランドのウッチで路面電車の前に身を投げた。かなりの覚悟が窺《うかが》える行動で、ランツマンは昔から敬意を抱いている。父親は錠剤の睡眠薬ネンブタールを百ミリグラム、茴香《ういきょう》風味のウォッカで流しこんだ。かなりお薦めの手法だ。さらに穴の空いていない大きなビニール袋を頭からかぶれば、きれいで、静かで、確実なものとなる。だが、自分がやるとなれば、ランツマンはチェス世界チャンピオンのメレフ・ガイスティックと同じように、拳銃《けんじゅう》を使いたかった。それには職務用のM－39で十二分に足りる。銃口をあてる場所（顎の下）とその向き（仰角二十度で爬虫《はちゅう》類の脳、すなわち脳幹を狙《ねら》う）さえ知っていれば、あやまたず瞬時に逝《い》ける。不快な汚れを伴うが、なぜかランツマンは、見苦しいものをあとへ残すことに気が咎《とが》めない。

「いつからブリンツが好きになったの」

その声に、びくりとした。膝頭《ひざがしら》がテーブルの裏を打ち、コーヒーが板ガラスの上へ、射出口の血飛沫《ちしぶき》もどきに飛んだ。

「やあ、ボス」とランツマンは英語で言った。紙ナプキンでテーブルを拭こうとしたが、トレイの山のそばのディスペンサーからは一枚しかとってきていない。コーヒーはそこら中に飛んでいる。上着のポケットから手あたり次第に紙を出して広がっていく液体を拭いた。

「誰かと一緒？」ビーナは片手でトレイを傾けないように持ち、もう片方の手でぱんぱんに膨らんだバッグを押さえていた。顔にはランツマンのよく知っている、ある表情を浮かべている。眉がアーチ型に吊《つ》りあがり、口元に微笑みがかすかに萌《きざ》している。それはホテルの舞踏室に群れている男ばかりの警官のあいだに混じる前や、ハーカヴィー地区のスーパーマーケットに膝上丈のスカート姿で入る前にまとう表情だった。その表情はこう語っている。〝べつに面倒を起こす気はないわ。ただガムを買いにきただけだから〟。ビーナはランツマンの返事を待たずに、トートバッグを床にどさりと置いて坐《すわ》った。

「いや、どうぞ」ランツマンは自分のトレイを引いて場所をつくった。ビーナが紙ナプキンを二、三枚よこしたので、それでコーヒーを拭いた。濡《ぬ》れた紙ナプキンは隣のテーブルに置く。「なんでこれにしたのかな。確かに、チーズブリンツなんて好きじゃないのに」

ビーナはトレイから紙ナプキンとナイフとフォークをとってテーブルの上に置いた。料理の二つの皿も並べる。レタスの葉に盛ったツナサラダと、金色に輝く四角いヌードルプディング。ビーナはバッグからプラスチックの小さな箱を出した。蝶番《ちようつがい》つきの蓋《ふた》を開けると、中には薬を入れる丸い容器が入っていた。そのねじ蓋を開けて、ビタミン剤と、魚油の軟カプセルと、乳製品の消化を助ける酵素の錠剤を一錠ずつ出す。プラスチック箱の中にはほかにも、小袋入りの塩と胡椒《こしよう》とホースラディッシュ、ウェットティッシュ、タバスコのミニチュア瓶、飲み水を殺菌する塩素剤、胃薬ペプトビズモルの噛《か》めるタブレット、そのほか得体の知れないものがあれこれ納まっている。ビーナは、コンサートへ行くときは必ずオペラグラスを持参した。芝生の上に坐るときにはさっとタオルを出した。アリ駆除器、コルク抜き、蠟燭《ろうそく》にマッチ、犬の口輪、ポケットナイフ、各種の小型スプレー缶、拡大鏡――この牛革のトートバッグからありとあらゆるものが出てくるのを、ランツマンは目撃したものだ。

ユダヤ人の適応能力と不屈の精神について知りたければ、ビーナのような人を見るのが一番だとランツマンは考えている。ユダヤ人は自分の家を牛革のバッグ一つに、ラクダの背中に、あるいは脳の一細胞に、すっぽり入れて持ち運べる。未知の土地に上陸するや、さっそく活動を開始し、有為転変を乗り切り、その時々に手に入るものを最大限に活用し、エジプト、バビロニア、ミンスク・グベールニャ、シトカ特別区と、どこででも生き抜いていく。几帳面《きちょうめん》で、段取りよく、粘り強く、創意工夫に富み、準備を怠らない。ベルコの言うとおり、ビーナは世界のどこの国の警察に入っても出世できるだろう。国境の線引きが変わろうと、政治体制が激変しようと、バッグにウェットティッシュを常備するユダヤ女は動じないのだ。

「ツナサラダか」とランツマンは言った。ジャンゴを身ごもったとき、ビーナがツナを食べるのをやめたのを思い出した。

「そうよ、今は水銀もできるだけ消化しようと思って」ビーナはランツマンの表情に現われた回想を読みとってそう言った。消化酵素の錠剤を嚥《の》みこむ。「最近は水銀が私の中で流行《はや》ってるの」

ランツマンはスプーンを構えて待つネミンツィナー夫人を親指で示した。

「肉用の温度計を注文するといいよ」

「そうしたいけど」とビーナは言う。「直腸用しかないのよね」

「ペンギンを見たかい」

「ペンギン・シムコヴィッツ？　どこにいるの」ビーナは腰から上を回して食堂内に視線をめぐらせる。その機会を利用して、ランツマンはシャツの襟の中を覗いた。そばかすの散る左の乳房の上のほうが見え、レースのブラの縁からカップに乳首が触れているさまが仄暗《ほのぐら》く窺えた。ビーナのシャツの下をまさぐり、乳房をつかみ、その谷間に顔を埋めて眠りたいという欲望があふれ出てきた。ビーナがこちらに向き直り、その谷間への夢想を見てとった。ランツマンは頬が燃えるのを覚えた。「おやおや」とビーナは言った。

「今日はどんな一日だった」とランツマンは訊《き》いた。それが一番自然な質問であるかのように。

「一つ取り決めをしましょ」ビーナは氷の張りつめた口調で言い、ブラウスの襟のボタンをかける。「あなたと私はここに坐って一緒に夕食をとる。私は今日一日についてひと言も話さない。どう、そういうの」

「それでいいよ」

「よかった」

ビーナはツナサラダをひと匙《さじ》すくった。金の縁取りのある小臼歯《きゅうし》がちらりと見えたとき、ランツマンは歯医者でその処置を受けて家に帰ってきたときのビーナを思い出した。麻酔で少しとろんとしたビーナはランツマンに舌で触り心地を調べてほしいと言ったのだ。ツナサラダの最初のひと口を食べ終えると、ビーナの食事は勢いを増した。さらに十回か十一回スプーンを口に運び、嚙み、無造作に嚥みこむ。鼻から息が猛烈に吹き出す。眼は接触をくり返す皿とスプーンを注視する。食欲旺盛《おうせい》な娘さんね、というのが、二十年前にランツマンの母親がビーナについて口にした最初の評言だった。ランツマンの母親の褒め言葉のほとんどは、必要に応じて悪口にもなった。だが、ランツマンは男のように食べる女性でなければ信用できない気がした。皿に残ったのがレタスについていたマヨネーズの薄膜だけになったとき、ビーナは満足の深いため息をついた。

「さてと。何を話す？　あなたの今日一日というのも嫌よね」

「絶対にお断わりだ」

「となると、私たちに残るのは？」

「どのみち話題はそう多くない」

「世の中には変わらないこともあるのね」ビーナはツナサラダの皿をどけて、かわりにヌードルプディングの皿を処刑台に引き出した。ビーナが美味《おい》しそうだという眼をヌードルプディングに向けるのを見ただけで、ランツマンはここしばらく経験していない幸福感を味わった。

「俺の愛車の話ならしてもいい」

「私が愛の詩を好きじゃないのは知ってるでしょ」

「〝復帰〟の話は絶対にやめたほうがいいな」

「それは賛成。しゃべる鶏《にわとり》とか、マイモニデス（中世スペインのユダヤ人哲学者）の顔そっくりなクレプラハ（ワンタンに似たユダヤの食べ物）とかのくだらない奇跡の話も聞きたくない」

シトカ総合病院の地下霊安室で寝ている男について、今日ジンバリストから聞いた話をしたら、ビーナはなんと言うだろう。

「いっそユダヤ人の話は禁止としようじゃないか」とランツマンは言った。

「はい禁止。ユダヤ人にはもう心底うんざりしてるのよ」

「アラスカもだめだ」

「だめだめ」

「政治の話もよくない。ロシア、満州国、ドイツ、アラブ人、どれも禁止だ」

「私はアラブ人にも心底うんざりしてるから」

「じゃ、ヌードルプディングの話はどうだろう」

「いいわね。でも、お願いだからちょっとだけでも何か食べて。そんなに痩《や》せてるあなたを見ると心が痛むのよ。これをひと口食べて。レシピは知らないけど、生姜《しょうが》を少し使ってるって話も聞いたわ。ヤコヴィー地区では、みんな美味しいヌードルプディングを夢見るそうよ」

ビーナはヌードルプディングからひと口分を切りとり、フォークでランツマンの口へ運ぼうとした。それが近づいてくるのを見て、ランツマンは冷たい手で腸《はらわた》をつかまれたような感触を覚える。それで顔をそむけた。フォークは軌道の途中でとまった。ビーナはヌードルを卵カスタードで固めて干し葡萄《ぶどう》の宝石をちりばめた食べ物を、ランツマンの皿のまだ手つかずのブリンツのわきに置いた。

「とにかく試しに食べてみたらいいわ」ビーナは自分で何口か食べてからフォークを置いた。「ヌードルプディングについて言うべきことはそれくらいよ」

ランツマンはコーヒーをひと口飲み、ビーナは残りの錠剤をグラスの水と一緒に呑《の》んだ。

「じゃあ」とビーナは言った。

「ああ、それじゃ」とランツマンは返した。

これで別れたら、胸の谷間で眠ることはもうできなくなるはずだった。安らぎに満ちた眠りはひと摑《つか》みのネンブタールか、カスタムメイドのM-39の助けを借りてしか訪れないに違いない。

ビーナはテーブルを押すようにして立ちあがり、パーカを着た。プラスチックの箱をバッグに入れ、小さなうなり声とともにバッグを肩にかけた。「おやすみ、マイヤー」

「きみはどこで寝泊まりしているんだ」

「親の家」ビーナはまるで地球に死刑宣告をくだすような調子で言った。

「おやおや」

「まあね。でも、どこか見つけるまでよ。どのみち〈ザメンホフ・ホテル〉よりはましだし」

パーカのファスナーを引きあげたあと、数秒間じっと立って、刑事の眼でランツマンを吟味した。ビーナの観察眼はランツマンのほど広範囲な探知力を持っておらず、ときどき細部を見落とすが、見たものに関しては、頭の中ですぐさま多くの殺人犯とその被害者についての既知の情報と結びつけることができた。そして結びつけた事実を筋の通った話にまとめあげることができた。ビーナは事件を解決するというよりは話をまとめるのが得意だ。

「ねえ、自分の姿を見てごらんなさいよ。まるで倒れかけてる家よ」

「わかってる」ランツマンは胸苦しさを覚えながら応《こた》えた。

「ひどいありさまだとは聞いてたけど、それは私を元気づけるために言ってくれてるんだと思ってたわ」

ランツマンはふふんと笑い、上着の袖《そで》で頬を拭《ぬぐ》った。

「これは何」とビーナが訊いた。親指と人差し指の爪《つめ》で、ランツマンが隣のテーブルに置いたコーヒーの染《し》みた紙ナプキンのぐしゃぐしゃのかたまりから、一枚の紙切れをつまみあげた。ランツマンはひったくろうとしたが、例によってビーナのほうが早かった。ビーナは紙切れを広げた。

「〝ヴェルボフ派ハシディズムの五つの偉大な真実と五つの大いなる嘘《うそ》〟」そう読みあげるビーナの左右の眉根《まゆね》が、眉間《みけん》をはさんで両側から接近した。「黒帽子の連中を敵に回すつもりなの?」

ランツマンは迅速な返事をし損ねた。ビーナはその顔と、沈黙と、彼について知っていること——つまり基本的には彼のすべて——から推定しうることを推定した。

「何を企んでるの、マイヤー」ビーナの表情が、ランツマンの精神状態と同じくらい消耗しきったものに変わった。「ううん。いい。私、もうへとへとだから」ヴェルボフ派についての小冊子を元どおりくしゃくしゃにし、ランツマンの顔めがけて投げつけた。

「そういう話はしない約束だったと思ったがね」とランツマンは言った。

「そうね。いろいろ約束し合ったわね。あなたと私は」

ビーナは身体《からだ》をなかば向こうに向け、肩にかけた家財道具入りバッグのストラップをしっかり握っていた。「明日、私のオフィスへ来るように」

「はあ。そうか。ただ問題は」とランツマンは言った。「今日で十二日間連続の昼勤が終わったんだ」

それは事実だったが、ビーナにはなんの感銘も与えなかったようだった。聞こえなかったのか、ランツマンがついインド‐ヨーロッパ語族以外の言葉を話してしまったかのどちらかかもしれなかった。

「それじゃ明日」とランツマンは言った。「今夜、脳みそを吹き飛ばさなければの話だがね」

「愛の詩は好きじゃないと言ったはずよ」巻きあげていた暗いかぼちゃ色の髪をおろし、

ざっとまとめて右耳の上とうしろを櫛《くし》型へアクリップで留めた。「脳みそがあろうとなかろうと、九時に出頭するように」

ランツマンは出入口に向かっていくビーナを見送った。自分を相手に賭《か》けをして、元妻が一度もこちらを振り返らないままフードをかぶって雪の降る街へ出ていくほうに一ドル張った。ただ、ランツマンは慈悲深い男であり、初めから必勝の賭けだったので、賭け金は取り立てなかった。

19

翌朝六時に電話のベルで眼が覚めたとき、ランツマンは白いパンツをはいた姿で袖椅子《いす》に坐《すわ》り、M-39の銃把を優しく握っていた。テネンボイムが勤務からあがるところだった。「じゃ、かけましたからね」の声とともに電話は切れた。

モーニングコールを頼んだ記憶はなかった。袖椅子のわきのテーブルの、傷だらけのオークベニヤ張りの天板にスリヴォヴィッツの空き瓶が突っ立っているが、一本空けた覚えはなかった。スリヴォヴィッツの隣に置かれた貝殻型プラスチック容器の隅にはヌードルプディングが三分の一ほどちんまり残っているが、それを食べた記憶もなかった。床に散乱している色つきガラスの破片のその飛び散り方を見れば、一九七七年シトカ万国博覧会の記念ショットグラスをラジエーターに投げつけたのだろうとは想像できた。ベッドの下に携帯用チェス盤が裏返しに横たわり、小さな駒《こま》が部屋中に散らばっているところからは、謎解《なぞと》きが進捗《しんちょく》しないことに苛立《いらだ》ったことが窺《うかが》われた。だが、グラスを投げたことも、それが割れたことも覚えていなかった。ひょっとして、何かか誰かのために乾杯をして、ラジエーターを暖炉に見立ててグラスを投げたのだろうか。記憶は何もない。だが、この五〇五号室のむさくるしく荒《すさ》んだ情景はランツマンを驚かせなかった。なかんずく、弾をこめた拳銃《けんじゅう》を手にしていることは。

ランツマンは安全装置がかかっているのを確認してから拳銃をホルスターに戻し、椅子の背にかけた。壁のところへ行き、プルダウンベッドを引きおろす。ベッドカバーをめくって中にもぐりこんだ。シーツは清潔で、スチームプレスの匂《にお》いと、ベッド収納スペースの埃《ほこり》の匂いがした。昨夜、真夜中頃に抱いたロマンチックな計画を、ぼんやりと思い出した。朝早く出勤し、エマヌエル・ラスカー事件についてどんな鑑識結果が出ているかを確かめてから、ロシア人居住区に出かけ、チェス・クラブにいた元麻薬密売人のヴァシリー・シトノヴィツァーに話を聞く。できるかぎりのことをやってから、こちらの牙《きば》と爪を抜こうとペンチを構えるビーナとの会見に臨もうという計画だ。真夜中に若い頃の向こう意気がよみがえったらしい、とランツマンは淋《さび》しく微笑《ほほえ》んだ。午前六時のモーニングコール。

頭までシーツをかぶり眼を閉じる。頭の中でチェスの駒が、命じられもしないのに盤上に並んだ。黒のキングが盤の中央で、まだ王手《チェック》はかからないものの追い詰められていた。bの筋にいる白のポーンがもっと強い駒に成ろうとしている。もう現物のチェス盤など必要ない。いまいましいことに覚えこんでしまっていた。ランツマンは棋譜《きふ》を脳裏から消し去ろうとした。駒を全部払い落として盤の白いマスを黒く塗りつぶそうとした。駒やプレーヤーに汚《けが》されず、テンポだの戦術だの戦力差だのに煩《わずら》わされない、バラノフ山脈のように黒いチェス盤を求めて。

パンツと靴下の恰好《かっこう》でじっと横になっていると、頭の中の白い四角はすべて塗りつぶされた。と、そのときドアにノックがあった。頭からかぶったシーツがぴんと張った山になり、こめかみで脈がドラムのように打った。頭からかぶったシーツがぴんと張った山になり、ランツマンはさながらお化けに扮《ふん》して誰かを脅かそうとしている子供だった。しばらくのあいだうつぶせに寝ていたようだ。黒い泥に埋もれた墓穴の底か、地表から一キロ下の光の射《さ》さない洞窟《どうくつ》の中で、携帯電話《ショフアール》の遠い音を聞いたような気がする。それからテーブルの上の電話の柔らかな囀《さえず》りが聞こえたが、あまりにも深い泥か土の中に埋もれていたために、電話の音も夢の中の電話の音のように思え、それに出るための体力も気力もなかった。枕《まくら》は酒、パニックの匂いがする汗、そして唾《つば》の汚らしい混合液で湿っていた。腕時計を見る。十時二十分。

「マイヤー？」

ランツマンはまた身体を倒した。今度はベッドの裾《すそ》のほうへ頭を持っていったので、シーツがねじれて身体に巻きついた。「俺は辞める。辞職するんだ、ビーナ」ビーナからは応答がなかった。辞意を了承してくれたのならいいがと期待した。ビーナは本部に帰り、埋葬共済組合の責任者と折衝をして、シトカ警察の刑事から偉大なるアラスカ州の刑事になる準備を進める。そうならいいがと願った。本当に行ってしまったと確信できたら、週に一度シーツとタオルを取り替えにくるメイドに、自分を射殺してくれるよう依頼しよう。メイドは死体をどこかに埋める必要はない。ベッドを壁に戻せばいいのだ。死体になれば閉所恐怖症も暗闇《くらやみ》恐怖症ももう問題ではない。しばらくすると錠が音を立て、ドアが開き、ビーナが入ってきた。病室に入るような入り方だった。ここはショックを与えてはならない心臓病患者の病室で、見舞う者は、人はみないつか死ぬという肉体の暗鬱《あんうつ》な真実を想《おも》うのだ。

「まったくこの糞ったれ《ジーザス・ファッキング・クライスト》」ビーナは例によって完璧《かんぺき》な発音の英語で毒づく。ランツマンにはビーナの歯切れのいい罵声《ばせい》が面白く、金を払っても聞きたいと思うくらいだ。

ランツマンの灰色のスーツやバスタオルの浅瀬を渡って、ベッドの裾に立った。ピンクの地に赤ワイン色の花輪模様を配した壁紙、焦《こ》げ跡や謎の染みが不規則に散る緑色のフラシ天のカーペット、割れたグラス、空き瓶、表面が剝《は》げたり欠けたりしているベニヤ板張りの家具などを見回す。ランツマンはベッドの裾からビーナの嫌悪《けんお》をあらわにした顔を見あげるのを愉《たの》しんだ。愉しまなければ、恥辱の念が襲ってくるからだ。

「〝糞《くそ》の山〟ってエスペラント語でどう言うの」ビーナはベニヤ板張りのテーブルのところへ行き、汚れた貝殻型容器に載っているヌードルプディングのぐちゃりとした残り物を見おろした。

「少しは食べたのね」

ビーナは袖椅子をベッドのほうへ向けると、まずはトートバッグを床に置いた。椅子の座面をつぶさに観察する。その顔からは、魔法のバッグから消毒・除菌スプレーを出して処置を施すべきか否《いな》かで迷っているのが窺えた。しばらくしてようやく、そろそろと腰をおろした。服装はグレーのパンツスーツで、角度によって黒い光沢が動く滑らかな素材でできている。上着の下は青磁色の袖なしブラウス。化粧は煉瓦色《れんがいろ》の口紅だけ。まだ午前中なので、ピンやクリップでもつれ髪を統御する努力は挫折《ざせつ》しはじめてはいない。ヤポンスキー島にある二世帯住宅の二階の、あの娘時代の部屋で、階下を義足で歩きまわるオイシャー爺《じい》さんの足音に邪魔されずにぐっすり眠れたのかどうか、顔からはわからなかった。ビーナの眉根がまた接近した。口紅を引いた唇は厚さ二ミリほどの煉瓦色の細い溝になった。

「今朝はどんな調子です、警視どの」

「私は待つのが好きじゃない。とくにあなたを待つのは嫌」

「聞こえなかったのかな。警察を辞めたと言ったんだが」

「変ね。その面白いたわごとを二回聞かせてもらっても笑えないわ」

「きみの下で働くなんてむりなんだ。だってそうだろう。馬鹿《ばか》げた話だ。今の警察はいかにもそういう馬鹿をやりそうだがね。そこまでひどいことになってるんなら、もうどうでもいい。消化試合の方針なんてうんざりだ。だから辞める。なぜ俺が必要なんだ。どの事件も片っ端から黒いシールを貼《は》ればいい。かまうもんか。どうせ被害者はみんな死んでるんだ」

「私たちが処理する事件の記録をまた全部見てみたけど」とビーナは言った。ランツマンは、これだけ年月がたっても、ビーナはランツマンの黒い怒りを聞き流す見事な力を保ちつづけていた。「どの事件にもヴェルボフ派が絡《から》んできそうな要素はないのね」バッグからブロードウェイの箱を出して、一本振り出し、口にくわえる。そのあとに続く言葉はさらりと出たが、そのさりげなさがランツマンには胡散臭《うさんくさ》かった。「このホテルで殺された麻薬中毒患者の事件はべつにして」

「きみが黒いシールを貼った事件だね」ランツマンは完璧に腹の中を隠す刑事のやり口で応対した。「煙草《たばこ》もまた吸いだしたのか」

「煙草、水銀」ビーナは髪をうしろへ掻《か》きのけ、ブロードウェイに火をつけて、煙を吹く。「消化試合」

「俺にも一本くれないか」

ビーナが箱をよこすと、ランツマンは身体を起こし、シーツを古代ローマ人のトーガのように注意深く身体に巻きつけた。ビーナはその貴族的な姿を眺めながら、二本目の煙草に火をつけた。乳首のまわりに白髪が生え、腰まわりがたるみ、膝が痩《や》せてきているのに眼をとめた。

「パンツと靴下だけで寝る。あなたの場合はいつも悪い兆候だったわ」

「たぶん憂鬱症のせいだ。ゆうべやられたらしい」

「ゆうべ？」

「去年かな」

ビーナは灰皿の代用品を眼で探した。「きのうベルコと一緒にヴェルボフ島へ行ったのは、そのラスカーの一件をつつくためだったの？」

ここでビーナに嘘をついても意味はない。だが、ランツマンはもうかなり前から上からの命令に背くのが癖になっているので、今さら正直になるのもおかしなものだ。

「今朝電話は来なかったのかい」

「電話が？　ヴェルボフ島から？　土曜日の朝に？　土曜日の朝に誰が私に電話をくれるの？」ビーナは狡猾《こうかつ》そうに眼を細めた。「電話をくれたとして何を知らせるため？」

「悪い、ちょっと失礼するよ。もう我慢できない」

ランツマンが下着姿で立ちあがると、シーツがずり落ちた。ベッドを回りこみ、洗面台とスチール製の鏡とシャワーのある狭いトイレ兼バスルームに入る。カーテンはなく、床の真ん中に排水口があるだけだ。ランツマンはドアを閉めて長い小便をし、純粋な快感を味わった。煙草の吸いさしを便器の水洗タンクの端に置き、石鹸《せっけん》で顔をすばやく洗ってタオルで拭《ふ》いた。ドアのフックにウールのバスローブがかかっている。白地に赤、緑、黄、黒の縞《しま》という先住民の模様だ。それを着てベルトを締めた。また煙草をくわえ、洗面台の上に取り付けられたぴかぴかの長方形のスチールでおのが顔を見る。見えたものは彼に驚きも未知の深みも与えなかった。便器の水を流して部屋に戻った。

「ビーナ」とランツマンは言った。「俺はその男とは面識がなかった。たまたま死体を調べただけだ。知り合いになる機会はあったようだが、俺のほうで断わった。知り合いになっていたら、親しくなったかもしれない。ならなかったかもしれない。その男はヘロイン中毒だった。たぶん友達はヘロインだけで充分だったろう。たいていそうなるものだ。だが、いずれ一緒に歳《とし》をとって、このホテルのロビーのソファーで手を握り合うようになる友達どうしじゃなかったとしても、そんなことは関係ない。俺が宿にしているホテルに誰かが入りこんできて、夢の国に遊ぶあの男の頭のうしろを撃ち抜いた。それがたまらないんだ。俺が長年のあいだに溜《た》めこんできた殺人というものに対する一般的な反感はべつにしてもだ。正義だの、法と秩序だの、捜査手続きだの、本部の方針だの、〝復帰〟だの、ユダヤ人だの、先住民だの、そんなことはどうでもいい。このごみ溜めホテルは俺の家だ。あと二ヵ月かどれだけかわからないが、ここは俺の住み処《か》だ。プルダウンベッドだのスチール製の鏡だのを備えた部屋に金を払っている不運な身の上の連中は俺の身内も同然だ。ここの連中がとても好きだとは正直なところ言えない。まあいいやつもいるが、ほとんどがそうとう質《たち》の悪い連中だ。しかし誰かが入りこんできてそいつらの頭に弾をぶちこむというのは赦《ゆる》せないんだ」

ビーナはインスタントコーヒーをつくって二つのカップに注いでいた。一つをランツマンによこす。「ブラックの砂糖入り。だったわね？」

「ビーナ」

「あなたは独断専行するしかないのよ。黒いシールは貼りつけたままにしておく。あなたが誰かに捕まったり、妨害されたり、ルダシェフスキー一族の男たちに膝《ひざ》の皿を割られたりしても、私は一切関知しないから」バッグから、何冊もの書類ホルダーで分厚く膨らんだアコーディオン式ファイルをとりだした。それをベニヤ板張りのテーブルに置く。「鑑識捜査は一部しか行なわれていないわ。シュプリンガーは途中でやめてしまったみたいね。採取したのは血液と髪の毛。それに指紋。たいした物証じゃないわ。銃射撃特性の分析結果は委託先からまだ戻ってない」

「ビーナ、ありがとう。ビーナ、聞いてくれ、この被害者なんだが。本名はラスカーじゃないんだ。この男は――」

ビーナがランツマンの口に手をあてた。身体《からだ》の接触は三年ぶりだった。唇に彼女の指先が触れたことでランツマンの闇が払われたというのはおそらく言いすぎだった。だが、闇は震え、ひび割れて、その隙間《すきま》から光がにじみ出した。

「そういうことには私は関知しない」ビーナはそう言ってから手をはずした。インスタントコーヒーをひと口飲んで、顔をしかめた。「うっ」

カップを置き、バッグをとりあげて、ドアのほうへ歩いた。戸口で振り返って、ランツマンを見る。ランツマンが着ているバスローブは、三十五歳の誕生日にビーナが贈ったものだ。

「それにしてもたいした度胸ね」とビーナは言った。「ベルコと二人であそこへ行ったなんて信じられないわ」

「息子が死んだことを知らせなきゃならなかった」

「息子って」

「メンデル・シュピルマン。レベの一人息子だ」

ビーナは口を開き、また閉じた。驚きよりは関心を強く示す仕草だった。テリアのように情報に歯を立て、血のついた関節を噛《か》もうとしているかのようだ。その顎《あご》に伝わる感触をビーナが気に入ったのが、ランツマンに見てとれた。ただしその眼には、見覚えのある倦怠《けんたい》の色が出ていた。暴力の炸裂《さくれつ》という結果から、謎を一つ一つ解いて、そもそもの初めの間違いにまでさかのぼりたいという欲望を、ビーナが失うことはないだろう。だが、刑事にはその欲望が萎《な》えることがときどきある。

「それでレベはなんて言ったの」ビーナは心底残念そうにドアノブを離した。

「ちょっと冷淡なように思えたな」

「驚いたみたいだった？」

「とくにそんな様子もなかった。ただ、そこから何が言えるかはわからない。メンデルはだいぶ前から転落の人生だったようだから。シュピルマンが自分の息子に弾を食らわせたのかどうか。可能性としてはありうると思う。バロンシュテインも同じだ」

バッグが、人の身体のようにどさりと床に落ちた。ビーナはじっと立ったまま片方の肩を小さく回した。ランツマンはマッサージを申し出てもよかったが、賢明にもやめておいた。

「電話があるかもしれないわね」とビーナは言った。「バロンシュテインから。安息日が明けたらすぐ」

「メンデル・シュピルマンが亡《な》くなって心が張り裂けそうです、みたいなことをあの男が言っても、俺ならあまり真に受けないね。放蕩《ほうとう》息子が帰ってくればみんな喜ぶが、その息子のパジャマを使っていた男だけはべつだ」ランツマンはコーヒーをひと口飲んだ。えぐいほど苦くて甘かった。

「放蕩息子」

「一種の神童だった。チェスとか、律法の知識とか、語学とか。今日聞いた話ではある女の癌《がん》を治したそうだ。俺はべつに信じたわけじゃないがね。黒帽子の世界ではその手の話がいくつも語られているんだと思う。メンデルはツァデク・ハ－ドールじゃないかという――この言葉は知っているかい」

「ええ、だいたいのところは。少なくとも文字通りの意味はわかるわ」ビーナの父親、グーリエ・ゲルプフィッシュは、ユダヤの伝統に詳しい人で、その知識の一端なりとも一人っ子の娘に授けようとむだな努力をしたものだ。「〝その世代の正義の人〟ね」

「どうやらこの〝正義の人《ツァデク》〟は過去二千年間、一世代に一人ずつ現われたらしい。そうだろう？　その人物は活動すべきときをじっと待っているそうだ。ちょうどいいときが来るのを、あるいは世の中がちょうどいい状態になるのを。あるいは、こんなふうに言う人もいるそうだ。彼は時代が悪くなり、世の中が最悪の状態になるのを待つんだとね。中にはみんなが知っているような人もいたが、大半は無名の人間だったという。つまり、〝ツァデク・ハ－ドール〟というのはどんな人間であってもおかしくないということだろうな」

「みんなから蔑《さげす》まれ、拒絶される人」ビーナは暗唱するような調子で言った。「深い苦悩を知る悲しみの人よ」

「俺が言っているのもそれなんだ。どんな人間であってもおかしくない。浮浪者。学者。麻薬中毒者。刑事ってこともありうる」

「なるほどね」ビーナは、ヴェルボフ派の奇跡を起こす神童が、麻薬中毒者となってマックス・ノルダウ通りの安宿で殺されるまでの道程に、思いをはせるような顔になった。それは考えるほどに悲しくなる話のようだった。「まあ、それがわたしじゃなくてよかったわ」

「今はもう世界を救いたくはないのか」

「私、前は救いたがってた？」

「そう思うよ」

ビーナは考えた。人差し指で鼻の横腹をこすりながら、記憶をたぐる顔になった。

「それはもう卒業したみたい」と言ったが、ランツマンは信じなかった。ビーナは世界を救いたいという気持ちをなくさないだろう。ただ救おうとする世界をどんどん小さな範囲に限っていき、ある時点では一人のふがいない刑事の頭の中だけになってしまったのだ。

今の台詞《せりふ》を最後にビーナは出ていくだろうと思ったが、さらに十五秒間の救われない時間を費やし、ドアにもたれて、ランツマンがバスローブのベルトのほつれた端を弄《もてあそ》ぶのを見ていた。

「バロンシュテインが電話をかけてきたら、なんと言うつもりかな」とランツマンは訊《き》いた。

「ランツマン警部のしたことは完全な越権行為だから、審問にかけるつもりでいるとね。あなたからバッジをとりあげなくちゃならないかもしれないわ。抵抗はするけど、埋葬共済組合のあの男、いまいましいスペイドが相手だと、使える策略に限度がある。あなたが何かしようとしても同じことよ」

「わかった。きみはちゃんと警告してくれた。俺は警告は受けたよ」

「で、何をするつもり？」

「今から？　被害者の母親をあたってみるよ。シュピルマンはずっと誰とも連絡をとっていなかったと言ってたが、なぜか信じる気になれないんだ」

「バトシェヴァ・シュピルマンね。接触するのは難しいわよ」とビーナは言った。「とくに男にはね」

「そうなんだ」ランツマンはすがりつくような表情をつくった。

「だめ」とビーナは言った。「だめよ、マイヤー。諦《あきら》めて。あなたは自分だけの判断で行動するのよ」

「葬儀には出てくるはずだ。きみはただ――」

「私はただ役人どもの邪魔をしないで、自分のケツを守って、今後二ヵ月のあいだそこに火がつかないよう用心するだけよ」

「きみのお尻《しり》のお守りなら喜んでやらせてもらうがね」ランツマンはその種の戯《たわむ》れを言

い合った昔を思い出した。

「服を着なさい」とビーナは言った。「それと頼むからこの部屋を掃除して。こんなごみ溜めみたいな。よく住んでいられるわね。まったく、恥ずかしくないの」

かつてビーナ・ゲルプフィッシュは、マイヤー・ランツマンを信じていた。あるいは、初めて会ったときには二人の出会いに何か意味があると信じ、結婚したときには自分たちの結婚には手ごたえのある意義があると信じたものだった。二人はDNAの二本の鎖のように絡み合っていた。確かに絡み合っていた。そしてランツマンがその絡み合いを単なる偶然的なもつれと考えていたのに対して、ビーナは〝結び目の創造者〟のはからいと考えた。ビーナの〝信〟に対して、ランツマンは〝無への信仰〟で報いたのだ。

「きみの顔を見るときだけ恥ずかしくなるよ」とランツマンは答えた。

20

ランツマンは、週末勤務の支配人クランクハイトに煙草《たばこ》六本をめぐんでもらい、そのうち三本に火をつけて、メンデル・シュピルマンの鑑識報告書を読みながら一時間を潰《つぶ》した。蛋白質《たんぱくしつ》の量や脂肪の染《し》みや埃《ほこり》についての報告は、ビーナが言ったとおり、新しい情報を含んでいなかった。犯人は逃走経路に痕跡《こんせき》を残しておらず、やはりプロの仕事らしかった。被害者の指紋はメナヘム＝メンデル・シュピルマンの指紋記録と一致した。メンデルは過去十年間に七回、麻薬事犯で逮捕されていた。使った偽名はヴィルヘルム・シュタイニッツ、アーロン・ニムゾヴィッチ、リチャード・レティなど。明らかになったのはその程度のことしかない。

ランツマンはビールを持ってきてもらおうかと考えたが、やめて、かわりに熱いシャワーを浴びた。酒は期待どおりの結果を出してくれなかった。食べ物のことは考えただけで胸が悪くなった。潔《いさぎよ》く認めるしかない。本当に自殺する気があるなら、もうとっくにしているはずだった。ということで、いいだろう、仕事などお笑い草だが、仕事には違いない。ビーナが持ってきたアコーディオン式ファイルの本当の中身はそれだ。警察本部の方針や、離婚した元夫婦という関係や、二人のキャリアが向かいはじめている正反対の方向、そういった溝を越えてビーナがよこしたのは、〝そのまま続けよ〟とのメッセージだ。

ランツマンは最後の清潔なスーツをビニール袋から出し、髭《ひげ》を剃《そ》り、ポークパイハットの光沢のある毛羽を専用のブラシで立てた。今日は非番だが、どうせ勤務など意味がない、今日という日も無意味。意味があるのは清潔なスーツと、三本のブロードウェイ、眼のうしろの二日酔いの揺らぎ、ウィスキー色がかった褐色の帽子をこするブラシのささやきだけ。それと、このホテルの部屋に漂うビーナの残り香も入れてもいいかもしれない。彼女のシャツの襟の酸《す》っぱい匂《にお》い、バーベナ石鹸《せっけん》の匂い、腋《わき》の下のマヨラナのような匂い。エレベーターで下に降りるあいだ、ランツマンは落下してくるピアノの影から逃れ出てきたような感覚にとらわれた。耳の中でジャズ風の狂騒音がとどろく。金色と緑色の畝織《うねお》りのネクタイの結び目が喉《のど》に親指を押しつける。罪悪感が良心を圧迫するように。その感覚で、まだ生きていることを自覚する。帽子はアザラシの膚《はだ》のように艶《つや》やかだ。

マックス・ノルダウ通りは雪掻《ゆきか》きがされていなかった。大幅に人員を削減されたシトカの道路管理課は大通りやハイウェイに重点を置いて作業している。ランツマンはシヴォレー・シェヴェルのトランクからオーバーシューズを出すと、車を駐車場に預けた。

そして三十センチほど積もった雪を用心深く踏んで、モナスティル通りの〈マブハイ・ドーナツ〉に向かった。

シュテケレと呼ばれるフィリピン風中華ドーナツは、世界中の美味《うま》いもの好きをシトカへ呼ぶことに大いに貢献してきた。シトカで食されているそれは、フィリピンにはない。中華料理の権威はそのような食べ物がかつて中華鍋《なべ》から誕生したことはないと断言するだろう。ユダヤ教の唯一《ゆいいつ》神ヤハウェが元はシュメールの嵐《あらし》の神だったのに似て、シュテケレはユダヤ人の発明ではないが、ユダヤ人の欲望がなければ、世界は神もシュテケレも人類に与えなかったはずだ。細巻き葉巻の形をした揚げドーナツは、甘すぎず塩辛すぎず、砂糖をまぶした外側はサクサク、中は蜂《はち》の巣状の空気穴でふんわりしている。紙コップのミルクティーに浸《つ》けて眼をつぶり、十秒数えれば、いっそう美味しく食べられること請《う》け合いだ。

フィリピン風中華ドーナツ作りの世に知られざる巨匠ベニート・タガネスこそは、〈マブハイ・ドーナツ〉とその泡立つ油鍋の所有者だ。薄暗く、狭苦しく、表通りから見えない店は、二十四時間営業。バーやカフェがはねたあと、邪悪で脛《すね》に傷持つ連中がポロポロ欠けたフォーマイカ張りのカウンターに陣取り、犯罪者や警官、やくざ者やだめ男《シュレミール》、売春婦や夜更《よふ》かし族の誰彼について噂話《うわさばなし》をする。料理人のフライパンの中で油が拍手をし、換気扇が歓声をあげるなか、大型CDラジカセが、タガネスが子供の頃にマニラでなじんだフィリピン特有の恋歌クンディマンの傷心の歌を大音量で流す店内では、秘密を心おきなく打ち明けることができる。清浄《コシャー》な油の金色の靄《もや》が宙にかかり、感覚を混乱させる。清浄な油で揚げ物をする音と、フィリピンのペリー・コモことディオメデス・マトゥランの咽《むせ》ぶような歌声で耳を満たされて、どうして盗み聞きができるだろう。だが、ベニート・タガネスはしっかり聞きとり、記憶する。タガネスはロシアン・マフィアの首領アレクセイ・レベドの家系図を書くことができるが、それは祖父母や甥姪《おいめい》だけでなく、麻薬密売人や殺し屋、さらにはオフショア銀行口座まで網羅している。またタガネスは、夫の服役中も操《みさお》を守りつづける妻の歌や、妻に密告されて服役する夫の歌を歌うことができる。〈恐怖のマルコフ〉の今の頭目が誰であるか、〝野獣〟アナトリー・モスコウィッツの息がかかった麻薬課の刑事は誰々か、そんなことを知っている。だが、彼がそうした事情通であることを知っているのは、ランツマンだけだ。

「一つくれ、タガネス師」ランツマンは路地から店に入り、オーバーシューズから雪を振り落とした。シトカの土曜日の午後は挫折《ざせつ》した救世主のように死んで横たわっていた。歩道には人影がなく、車の往来もまれだ。だが、〈マブハイ・ドーナツ〉の店内には流れ者や一人者、飲酒時間と飲酒時間のはざまにいる酒飲みが、松脂《まつやに》のてかるカウンターに寄りかかってミルクティーを染ませたドーナツを食べながら、次にどんな大きなへまをしでかそうかと考えるような顔をしていた。

「一つでいいんかね」とタガネスが訊く。ずんぐりした体格で、膚の色は店で出すミルクティーと同じ色、頬は月面のようにあばただらけ。髪は黒々としているが、もう七十歳を超えている。若い頃はボクサーで、フィリピンのフライ級チャンピオンだった。ごつい指に、束ねたサラミ・ソーセージに刺青《いれずみ》を入れたような前腕と、いかにも怒らせるとまずい相手に見え、それが商売に役立っていた。ただしキャラメル色のつぶらな瞳《ひとみ》はこわもての印象を裏切るので、いつも瞼《まぶた》を半分おろして伏し眼にしている。その眼をランツマンは覗《のぞ》きこんだ。タレコミ屋として使うには、その人間の無表情の下に傷ついた心を見通すわざが必要だ。「二つか三つ、食べたほうがよさそうな顔だが」

タガネスは、揚げあがったドーナツをバスケットに拾いあげる係の甥だか従弟《いとこ》だかを肘《ひじ》でわきへ押しやった。ロープ状の生地を蛇使いのようにつかんで、油の中へ落としこむ。数分後、ランツマンは天国の味をぴっちり包んだ紙容器を手にしていた。

「オリヴィアの妹の娘の件、情報が入ったよ」ランツマンは温かく甘いドーナツをもぐもぐやりながら言った。

タガネスはランツマンのカップにミルクティーを注ぎ、路地のほうへ顎《あご》をしゃくって、アノラックを着る。二人は外に出た。タガネスはベルトから鍵《かぎ》束をはずし、店から一つ置いて隣にある鉄のドアを開けた。そこはタガネスが愛人のオリヴィアを住まわせている場所だ。小さなよく片づいた部屋が三つあり、ウォーホール作のマレーネ・ディートリッヒの肖像画が飾られ、ビタミン剤と腐ったクチナシの花の匂いが漂っている。オリヴィアはいなかった。最近この女性は、病院への入退院をくり返しているが、それぞれの入院を物語の章に見立てるなら、各章に必ずヒロインが死にかけてハラハラさせる場面が現われる。タガネスが白い骨組に赤革張りの肘掛け椅子《いす》を手で示す。ランツマンはもちろん、オリヴィアの妹の娘についての情報など持っていなかった。それにオリヴィアは、本当は女性ではない。ドーナツ王ベニート・タガネスのこの一面を知るのはランツマンだけだ。かなり以前に、コーンという連続強姦魔《ごうかんま》が、オリヴィア嬢を襲ったときに彼女の秘密を知ったのだが、コーンにとってその夜二つ目の驚きは、ランツマン巡査が偶然現われたことだった。そのときにランツマンから顔に受けた仕打ちのせいで、コーンは生涯舌足らずなしゃべり方をするはめになった。というわけで、オリヴィアを救った男に対してその後タガネスが情報を提供してきた理由は、感謝の念と羞恥心《しゅうちしん》であって、金ではなかった。

「ヘスケル・シュピルマンの息子について何か聞いたことはないか」ランツマンはそう訊いて、ドーナツとカップを置いた。「メンデルという息子のことだが」

タガネスは立ちあがり、両手をうしろで組んだ。まるで学校の教室で詩の暗唱を命じられた生徒のように。「ま、長いあいだには、一つ二つ。ヤク中の子だよね」

ランツマンは片眉《まゆ》を五ミリほど吊《つ》りあげた。タレコミ屋からの問いには答えるものではない。とくに問いの形をとった断定の場合は。

「メンデル・シュピルマン」タガネスは腹を決めたように話しだした。「この辺でも何度か見かけたね。おかしな男で、タガログ語を少し話したよ。フィリピンの歌なんかもちょっと歌ったり。それで、何があったんで。まさか死んだとか」

ランツマンはやはり返事をしなかったが、タガネスには好感を抱いていて、彼をタレコミ屋として使うのはちょっと可哀想《かわいそう》だと常々感じていた。沈黙の気まずさをごまかすため、ドーナツを手にとってひと口齧《かじ》った。まだ温かく、バニラがかすかに匂う。皮は壺焼《つぼや》きカスタードのキャラメルグレーズのようにサクサクする歯ごたえだ。ランツマンがそれを食べるのを、タガネスはフルート奏者のオーディションをするオーケストラ指揮者のように冷やかに値踏みする眼で見ていた。

「美味いよ、ベニー」

「侮辱はやめてもらえるかな、警部」

「すまない」

「美味いのは知ってるから」

「最高だ」

「あんたの人生のどんなことも、その足元にも及ばないから」

まったく本当のことなので、眼にじんと涙がわく。それをごまかすために、ドーナツをもう一つ食べた。

「誰かが彼を探してたよ」タガネスは訛《なま》りはあるが滑らかなイディッシュ語で言った。

「二、三ヵ月前に。二人の誰かがね」

「あんたは自分でその二人を見たのか」

タガネスは肩をすくめた。情報収集の方法は以前からランツマンには秘密にしていた。従兄弟《いとこ》や甥などで構成されるタレコミ屋の下請けネットワークのことは。

「誰かが見たんだ。あたしかもしれない誰かが」

「その二人は黒帽子だったか」

タガネスはその質問についてひとしきり考えた。何か科学的な難問に頭を悩ませているような感じで、愉《たの》しそうにすら見えた。「黒い帽子はかぶってなかった」とタガネスは言った。「でも顎鬚《あごひげ》生やしてた」

「顎鬚？　敬虔《けいけん》なユダヤ教徒ということか」

「ちっちゃいヤムルカかぶって。きれいな顎鬚生やしてた。どっちも若い男だ」

「ロシア人かな。訛りはあったかい」

「その若い二人のことを人から聞いたんだとしたら、あたしにそのことを話したやつは訛りのことは何も言わなかった。あたしが自分で見たんだとしたら、悪いけど、なんにも覚えてないよ。どうしたんだ、警部。なんで手帳に書かない」

最初の頃、ランツマンはタガネスの情報をきわめてまじめに受けとめるふりをしていたものだった。今もランツマンは手帳をとりだして、ドーナツ王の気が済むように線を何本か引く。そのきれいな顎鬚を生やした、信心深いユダヤ教徒ではあるようだが黒い帽子はかぶっていない男たちのことをどう考えるべきか、よくわからない。

「で、その二人は何を訊《き》いてまわっていたんだ」

「居所。情報」

「目当ての情報は手に入れたのか」

「〈マブハイ・ドーナツ〉では手に入れてない。タガネス一族からもね」

タガネスの携帯電話《ショファール》が鳴った。パチリと開いて耳にあてる。口元のこわばりがすっと消えた。顔全体が眼元に合わせて優しい感情をあふれさせた。タガログ語で穏やかに話した。ランツマンは自分の苗字《みょうじ》が低く口にされるのを聞きつけた。

「オリヴィアの具合はどうだ」ランツマンはタガネスが携帯電話を閉じるとすぐに訊いた。タガネスは顔の鋳型《いがた》に冷たい石膏《せっこう》を流しこんだ。

「ものが食べられない。もう、ドーナツも」

「それはいけないな」

用件は済んだ。ランツマンは腰をあげ、手帳を上着のポケットに戻して、ドーナツの最後のひと口分を食した。この数週間、いや数ヵ月で最も、体力と気分が充実しているのを感じた。メンデル・シュピルマンの死には何かがある。明らかにすべき物語が。そのことが、ランツマンから埃と蜘蛛《くも》の巣を払い落としてくれた。そうでないとすれば、ドーナツのおかげだろう。二人はドアのほうへ歩きだしたが、ふとタガネスがランツマンの腕に手をかけた。

「なんでほかに何も訊かないんだ、警部」

「何を訊けというんだ」ランツマンは眉をひそめた。不審に思いながらも問いを向けてみた。「今日、何か聞いたのか。ひょっとしてヴェルボフ島のこととか」レベを訪問したランツマンに対して、ヴェルボフ派のあいだで反感が高まっているという話がもうタガネスの耳に届いているというのは、考えにくいことだがありえなくはない。

「ヴェルボフ島？　いや、それとは違う話。あんた、ジルバーブラットの事件はまだ追ってるか」

ヴィクトル・ジルバーブラット殺害事件は、ランツマンとベルコが〝効率的な解決〟を求められている十一の未解決事件の一つだった。ジルバーブラットは今年の三月、ここから数街区先の、昔のドイツ人居住区、ナハトアジュール地区にある居酒屋〈ホフブラウ〉で刺殺された。凶器は小型のあまり鋭利でない刃物で、計画性のない犯行のようだった。

「弟のラフィーを見かけたやつがいるんだ」とタガネスは言う。「こそこそ動きまわってるらしい」

ヴィクトルの死を悲しむ人間はいなかったが、とくに弟のラファエルにはその理由がなかった。ヴィクトルは弟を虐待《ぎゃくたい》し、騙《だま》し、辱《はずかし》め、金と女を遠慮なく奪った。ヴィクトルが死んだあと、ラファエルは街を出て、行方知れずになった。凶器がラファエルの物だという証拠は何もなかった。わりあいに信用できる証人二人が、犯行時刻の前後を合わせて四時間ほど、ナハトアジュール地区から六十キロ離れたところに彼がいたと証言した。ただ、ラファエルには似たりよったりの罪状での逮捕歴が豊富だった。警察の新しい方針からうかがえる証拠評価基準の引き下げを考えれば、ラファエルが犯人ということで立件できる可能性が充分にある。

「どこを動きまわっているんだ」とランツマンは訊いた。その情報は熱いブラックコーヒーを一杯含んだような効果をもたらした。わが身が大蛇となり、自由の身だったラファエル・ジルバーブラットに絡《から》みつくところが眼に浮かんだ。

「グラニット・クリークの〈ビッグ・マッハー〉だよ。あの閉店したとこ。あそこにこっそり出入りしてるのを誰かが見たんだ。物を運んで。プロパンの缶とか。空っぽの店の中で暮らしてるのかもね」

「ありがとう、ベニー。調べてみるよ」

住居から出ようとすると、タガネスが袖《そで》を引いた。父親のような手つきでオーバーの襟を手で払う。シナモンシュガーを落としたのだ。

「奥さん、またこっちへ来たのかい」とタガネスが訊く。

「立派になって帰ってきた」

「いい人だ。よろしく伝えてよ」

「顔を見せるように言っておこう」

「そんな指図はむりでしょ」タガネスはにやりとする。「今はあんたのボスだから」

「ずっと前から俺のボスだったよ」とランツマンは返した。「今は正式にそうなっただけだ」

タガネスの顔から笑みが消えた。ランツマンはその眼に悲嘆の色を見て、視線をそらした。タガネスの妻は小柄でおとなしい女だが、元気な頃のオリヴィア嬢は世界の半分を統率するボスのようだった。

「いいことだよ」とタガネスは言った。「あんたにはボスが必要だ」

21

ランツマンはベルトに予備弾倉のポーチをとりつけると、島の北端へ車を走らせてハリバット海峡地区を過ぎた。そこで街並みはとだえ、水路が警官の制止する腕のように陸地を横切っていた。イッキーズ高速道路を降りてすぐのところにあるショッピングセンターの残骸《ざんがい》が、シトカをユダヤ人の国にするという夢の終焉《しゅうえん》の印となっている。シトカ市街地からヤコヴィー地区までを世界中からやってくるユダヤ人で満たそうとする意気込みはこのショッピングセンターの駐車場で頓挫《とんざ》した。特別区の恒久化は実現しなかった。〝大離散《ディアスポラ》〟で散ったユダヤ人が暗く辛《つら》い境遇を逃れて新たに流入することはもうない。住宅地開発計画は青写真の形でのみ残り、どこかのスチールの抽斗《ひきだし》をふさいでいた。

ショッピングセンター〈グラニット・クリーク・ビッグ・マッハー〉は約二年前に廃業した。ドアは鎖で封じられ、かつてイディッシュ文字とローマ字で店名が書かれていた窓のない側面の壁は、今では原因不明の穴とサイコロの目のようなくぼみに覆《おお》われているが、それは〝失敗〟と読める点字のようだった。

ランツマンは広々とした空虚な駐車場のど真ん中に車を駐《と》め、正面の入口に向かって歩きだした。ここの雪は市街地の道路ほど深く積もっていない。空は高く、明るい灰色の地に暗い灰色の虎縞《とらじま》が走っている。ランツマンは荒い鼻息をつきながら、ガラスドアへ向かっていった。ドアのハンドルは縛られた腕のように青いゴムで被覆された鎖を巻かれていた。ランツマンは考えた。バッジを高く掲げ、旺盛《おうせい》な気魄《きはく》を示してドアをノックすれば、あのちょこまか動きまわる小型猟犬のようなラファエル・ジルバーブラットは、雪の照り返しに眼をぱちくりさせながら、おとなしく出てくるだろう。

一発目の弾丸は、ランツマンの右耳のわきをかすめた。太ったハエが空気を黒く汚しながらブンと飛び過ぎたようだった。それが弾丸だと気づいたのは、こもった発射音とガラスの割れる音を聞いてから、あるいは、聞いたのを思い出してからだった。ランツマンはさっと伏せ、雪の上にぺたりと腹這《はらば》いになった。二発目が頭のすぐうしろを飛び、細く垂らしたガソリンにマッチの火を触れさせたように皮膚を焼いた。ランツマンは拳《けん》銃《じゅう》を抜いた。だが、頭の中ないしは顔の表面に蜘蛛の巣が張り、後悔が麻痺《まひ》をもたらしていた。ここへは無計画という名の計画のもとにやってきた。掩護《えんご》者はいない。ここへ来たのを知っているのはベニート・タガネスだけで、優しい眼をしたあの男はまず人にはしゃべらないだろう。自分は世界のはずれの殺風景な駐車場で死ぬことになる。ランツマンは眼を閉じた。また開いた。蜘蛛の巣が濃密になり、露のような光の粒を宿した。

雪を踏む足音が聞こえた。一人ではなかった。ランツマンは拳銃を水平に持ちあげ、どうかなったらしい頭の中のきらきら光る網目を透して狙《ねら》いをつけた。発射した。悲鳴があがった。女の声だった。白い息が見えた。次いで女はランツマンの睾丸《こうがん》が癌《がん》に犯されることを望むという趣旨の罵声《ばせい》を放った。ランツマンの耳に雪が詰まり、それが溶けてコートの襟から首筋へ流れこむ。拳銃をつかまれ、身体《からだ》を引きあげられた。息がポップコーン臭かった。眼の上の包帯がぴんと張るのを感じながらよろよろ立ちあがった。ラファエル・ジルバーブラットの口髭《くちひげ》と鼻のあたりが見えた。〈ビッグ・マッハー〉の入口の前には、毛染めブロンドのぼっちゃりした女があおむけに倒れていた。命を養う液体が腹から出て雪を赤く染めている。その女とジルバーブラットの拳銃がランツマンの頭を狙っていた。ジルバーブラットの自動拳銃がはねる光で、ランツマンの後悔と自責の念の蜘蛛の巣が消えた。店の中から洩《も》れ出るポップコーンの匂《にお》いが自分の血の匂いと混じり、血の匂いは甘いという感覚を生んだ。ランツマンは首をすくめ、拳銃を離そうとした。

ちょうどそのとき勢いよく拳銃をひったくったジルバーブラットは、うしろ向きに雪の上へ倒れた。ランツマンはその上へ飛びかかる。今はなんの考えもなく、身体だけで動いていた。拳銃をもぎとって、その向きを変えた。そのとき世界が、三つの拳銃の引き金を同時に引いた。ジルバーブラットは頭頂部から血の角を生やした。蜘蛛の巣は、今度はランツマンの耳をも覆った。聞こえるのは喉《のど》の奥の息づかいと、自身の血の脈動音だけだった。

つかのま、奇妙な安らぎがランツマンの中で傘を開いた。ランツマンは今殺したばかりの男にまたがり、雪に埋まった膝頭《ひざがしら》が燃えるのを感じていた。思考力はなくしておらず、自分の冷静さは必ずしもいい徴候とは限らないのがわかった。やがて、飛び降り自殺の死体の周囲に野次馬が集まるように、自分がつくりだしてしまった厄介な結果のまわりに疑念が群れはじめた。ランツマンはよろよろと立ちあがった。自分のコートに血《ち》糊《のり》がべっとりついていた。脳の破片と、歯の一本も。

雪の上に二人の人間が転がっていた。ポップコーンの匂いと足の悪臭で鼻が曲がりそうだった。

腸《はらわた》を吐き出しそうな嘔吐《おうと》にかまけていると、〈ビッグ・マッハー〉からべつの男が出てきた。鼻と口のあたりがネズミを思わせる風貌《ふうぼう》の若い男で、ゆっくりと大股《おおまた》にやってきた。これもジルバーブラット家の一人だとわかるだけの思考力は、ランツマンに残っている。ジルバーブラットと思《おぼ》しき男は両手をあげ、険しい顔をしていた。手には何も持っていない。だが、ランツマンが血を流し、四つん這いで反吐《へど》を吐《は》いているのを見て、降服の方針を棄《す》てた。兄の死体のそばに落ちている自動拳銃を拾いあげた。ランツマンは身体を傾けながら立ちあがろうとした。頭のうしろで炎の筋がひらめいた。足元の地面がぐらつき、次いで轟音《ごうおん》とともに暗黒がやってきた。

死んだあと、ランツマンは雪の上でうつぶせに寝ていた。頬は雪の冷たさを感じなかった。激しい耳鳴りは消えていた。むっくりと起きて、坐《すわ》った姿勢になった。後頭部から流れた血は雪の上にツツジの花を散らしていた。ランツマンが射殺した男と女の死体は動いていなかったが、若いジルバーブラットの姿はどこにも見えなかった。自分はあの男に射殺されたのか、されなかったのか。自分は死んだことを忘れているのではないか。次第に高まってきたその疑惑が、ふいにはっきりと頭に浮かんだ。ランツマンは身体を上から下へと両手で叩《たた》いてみた。腕時計、財布、車の鍵《かぎ》、携帯電話、拳銃、それに警察バッジがなくなっていた。駐車場の車を駐めたあたりとその向こうの道路を見た。シヴォレー・シェヴェルが影も形もないのを見て、まだ生きているのを知った。そんな辛い眺めは現世にしかありえないからだ。

「ジルバーブラット家のやつがもう一人」とランツマンは一人ごちた。「やつらはみんなこうだ」

ひどく寒かった。〈ビッグ・マッハー〉に入ろうかとも考えたが、ポップコーンの匂いが嫌だった。ショッピングセンターの大きく開いた入口から視線をあげ、小高い丘とその向こうの木々が黒々とした山並みを眺めやった。それから雪の上に坐った。しばらくしてまた横になった。身体が楽になって気分がよかった。冷たい土埃《つちぼこり》の匂いがして、眼を閉じると、眠りに落ちた。〈ザメンホフ・ホテル〉の狭いながらも居心地のいい暗い部屋にすっと身体がおさまって、閉所恐怖症はまったく脅《おびや》かしにこなかった。

22

ランツマンは男の赤ん坊を抱いていた。赤ん坊はとくに理由もなく泣いていた。その泣き声を聞くと胸を甘く締めつけられた。安堵《あんど》を覚えた。ワッフルと石鹸《せっけん》の匂いがする、ぷくぷくした可愛《かわい》らしい赤ん坊だとわかると、ふっくらした足をつまんでみる。小さなおじいさんのような子の重みを両腕ではかり、微々たるものであると同時にとてつもない重量だと知る。首をめぐらせて、ビーナにその嬉《うれ》しさを伝えようとする。だが、そうしたのは間違いだった。ここには自分たちの息子がいる。ところが言葉をかけるべき相手のビーナはいない。ランツマンの鼻腔《びこう》に彼女の髪を濡《ぬ》らしていた雨の匂いが残っているばかりだ。眼が覚めると、泣いている赤ん坊はピンキー・シエメッツだとわかった。おむつを替えてもらっているのか、何かの不満を訴えているのか。ランツマンは瞬《まばた》きをした。世界が蠟染《ろうぞ》めの壁紙の形をとって侵入してきた。ランツマンは、かつてとまったく同じように、息子を失ったことで空っぽになった。

ランツマンはベルコとエステル＝マルケのベッドで横向きに寝ていた。向き合った壁には、亜麻布にバリ島の庭園や野生の鳥の絵を染めつけたものがかけてあった。服を脱がされ、パンツ一枚だった。ランツマンは起きあがった。後頭部の皮膚がちくりとし、次いで痛みの紐《ひも》がぴんと張った。傷のあたりにそっと手をやると、ガーゼに指が触れた。長方形の縮れた布を絆創膏《ばんそうこう》で留めてある。その周囲は奇妙なことに無毛だ。検視官シュプリンガーの撮った犯罪現場の写真をぴしゃりぴしゃりと一枚ずつ重ねていくように、記憶の映像が次々に切り替わった。救急治療室の冗談好きの技士、X線撮影、モルヒネ注射、近づいてくるヨードチンキを染《し》ませた脱脂綿。その前には、救急車の白いビニール張りの天井を流れる街灯の光の縞を見たような気がする。そしてその前には。救急車に乗せられる前には。紫色の半溶けの雪。人間の腹からはみでた臓物の立てる蒸気。耳元を飛び過ぎる雀蜂《すずめばち》。ラファエル・ジルバーブラットの額から噴き出す赤い霧。広い漆喰壁に残る暗号めいたいくつもの穴。ランツマンは〈ビッグ・マッハー〉で起きたことの記憶からすさまじい速さで時を遡《さかのぼ》り、夢の中で息子ジャンゴを失った苦悶《くもん》にぶちあたった。

「ああ、悲しいかな」とランツマンはつぶやいた。眼をこする。煙草《たばこ》を一本くれるなら、あまり重要でない器官を提供してもいい。

寝室のドアが開いて、ベルコが入ってきた。ほぼ一杯に入ったブロードウェイの箱を持っている。

「おれがおまえを愛してること、前に言ったことあるかな」ないと知りつつ、ランツマンは訊《き》いた。

「ありがたいことに一ぺんもない」とベルコは答えた。「こいつは隣のフリード家のおばさんからもらってきた。警察だ、押収《おうしゅう》すると脅しつけてな」

「気が違いそうなくらいありがたいよ」

「味な修飾語をつけたな」

ベルコはランツマンが泣いていたのに気づいた。片方の眉《まゆ》が濡れて立ち、しばらくそのままになっていたが、やがてテーブルクロスがテーブルに掛けられるように寝ていった。

「赤ん坊は元気か」とランツマンは訊いた。

「歯が生えた」ベルコは寝室のドアにとりつけたフックからハンガーをとった。ハンガーにはランツマンの服がブラッシングされてきちんと掛けられていた。ベルコは上着のポケットを探って紙マッチを出した。それからベッドのわきへ来て、煙草とマッチを差し出した。

「正直言って」とランツマンは言った。「なんでここにいるかわからないんだが」

「エステル＝マルケの考えなんだ。あんたの病院嫌いを知ってるからな。医者も入院の必要はないと言ったよ」

「まあ坐ってくれ」

とは言っても、部屋に椅子《いす》はないので、ランツマンは身体をずらした。ベルコがベッドの端に腰をおろし、スプリングに不安の声をあげさせた。

「ほんとに煙草を吸ってもいいのか」

「いや、ほんと言うと、ちょっとな。窓のところで頼む」

ランツマンはベッドから起きた。窓にかけた竹のブラインドを巻きあげると、雨が降っているのに驚かされた。五センチほど開けた窓の隙間《すきま》から雨の匂いが入ってくる。これで夢の中のビーナの髪に雨が匂った理由がわかった。アパートメントの下の駐車場を見おろすと、雪は溶けて流れ去っていた。光の具合も何かおかしな感じだった。

「今何時だ」

「四時三十……二分」ベルコは腕時計を見ずに答えた。

「何曜日の？」

「日曜日の」

ランツマンはクランクを回して窓をいっぱいに開け、尻《しり》の左側を窓敷居に載せた。痛む頭に雨が降りかかる。煙草に火をつけて長々と吸いつけ、今聞いた返事に当惑すべきかどうか考えた。「まる一日眠ったなんて久しぶりだ」

「睡眠不足が溜《た》まってたんだろ」ベルコが関心なさそうに言った。横眼でランツマンをちらりと見る。「あんたのズボンを脱がせたのはエステル＝マルケだよ。一応言っとくがな」

ランツマンは窓の外に灰を落とした。「俺は撃たれた」

「かすっただけだ。どっちかっていうと火傷《やけど》だと医者は言ってた。縫う必要はなかったとさ」

「相手は三人いた。ラファエル・ジルバーブラットと、たぶんその弟。それから若い女だ。弟のほうが俺の車と財布を盗んでいった。バッジと銃も。俺を置き去りにして逃げたんだ」

「俺たちもだいたいそんなふうに想像したよ」

「助けを呼びたかったが、あのネズミ顔の小男は携帯も持っていったんだ」

携帯電話《ショファアール》の話が出ると、ベルコはにやりとした。

「なんだ」

「するとその小男はあんたの車で逃げたわけだな。イッキーズを北へ走って、ヤコヴィーか、フェアバンクスか、イルクーツクだかをめざして」

「ああ」

「じつはその携帯にかけたんだ。そしたらネズミ野郎が出た」

「おまえがかけたのか」

「ビーナだ」

「それはすごい」

「そのジルバーブラットと二分話して、やつの居所、人相風体、十一歳のときに飼ってた犬の名前、全部訊き出した。その五分後に、巡査二人がクレストフ郊外でそいつを逮捕した。車は無事だったよ。財布にはまだ現金が入ってた」

ランツマンは、火が煙草の葉を灰に変えていくさまに興味を惹《ひ》かれたふりをした。

「バッジと銃は」

「ああ、それは」

「それは、なんだ」

「バッジと銃は今、あんたの上司が保管してるよ」

「返してくれるのかな」

ベルコは手を伸ばして、ランツマンがベッドに残した凹《へこ》みを均《なら》した。

「間違いなく職務遂行上の発砲だったんだよ」とランツマンは言った。自分でも泣き言のように聞こえた。「ラファエル・ジルバーブラットについて情報をつかんでね」肩をすくめてから、後頭部のガーゼの縁を指でなぞった。「話を聞こうとしたんだ」

「まず俺に電話をすべきだったな」

「土曜日におまえを煩《わずら》わせたくなかった」

およそ理由にならない理由で、当人にもまずい言い訳だと思えた。

「俺は馬鹿《ばか》だったよ」ランツマンは認めた。「刑事としてもしくじった」

「警察官の心得その一」

「ああ、わかってる。あのときはあれでいいという気がしたんだ。まさかあんなことになるとは思わなかった」

「それはともかく」とベルコは言った。「その弟、ウィリー・ジルバーブラットと名乗った小男は、死んだ兄貴のかわりに白状したよ。確かにラファエルがヴィクトルを殺したと。凶器は二つにばらけたハサミの片割れだ」

「それはまた」

「ほかに特段の事情がなければ、ビーナはあんたの働きに満足だろうな。思いきり効率よく事件を解決したんだから」

「ハサミの片割れとはね」

「手近なものを活用したわけだ」

「しかも片割れだけだから節約上手だ」

「それからあの手荒に扱われた女——あれをやったのもあんたか」

「あれも俺だ」

「よくやったよ、マイヤー」ベルコの声にも表情にも皮肉はなかった。「ヤヘヴェド・フレダーマンを安楽死させたんだ」

「それはやってない」

「あんたは一日でうんと働いたよ」

「あれは例の看護師か」

「B班が喜んでたぜ」

「あの年寄りを殺した女か。年寄りの名前はなんだったかな。ヘルマン・ポツナーか」

「B班の去年の未解決事件はあれだけだった。犯人は〝メキシコ〟にいると思ってたようだが」

「俺はまぬけだ《ファック・ミー》」ランツマンは英語で毒づいた。

「タバチュニクとカルパスはもうビーナにあんたを絶賛しまくってるはずだよ」

ランツマンは建物の外壁に煙草をすりつけ、吸殻を雨の中に棄《す》てた。実際のところ、タバチュニクとカルパスはランツマンとベルコをぐんと引き離している。接戦ですらなかった。

「俺はついてるときでさえ悪運を引くんだ」ランツマンはため息をついた。「ヴェルボフ島関係で何か進展はあったか」

「なんにも」

「新聞にも何も出ないか」

「《リヒト》にも、《ルト》にもな」この二つが黒帽子社会の二大日刊紙だ。「噂《うわさ》も全然聞かない。誰も噂してないんだ。なんにもなし。完全な沈黙」

ランツマンは窓敷居から降りて、ベッドわきの携帯電話《ショファール》が置かれた小卓へ行った。久しい以前から諳《そら》んじている番号をダイヤルし、質問を一つして、答えを得ると、通話を切る。「ヴェルボフ派の連中は、ゆうべ遅くにメンデル・シュピルマンの遺体を引きとったそうだ」

携帯電話《ショファール》が機械仕掛けの鳥のように囀《さえず》りだして、手にしているランツマンをびくりとさせた。それをベルコに渡す。

「大丈夫そうだよ」ベルコはしばらくして言った。「ああ、しばらく休んだほうがいいけどな。じゃ、代わるから」電話機をおろしてそれをしばし見つめて、親指で送話口を押さえた。「あんたの元の奥さんだ」

「今、大丈夫そうだと聞いたけど」電話に出たランツマンに、ビーナが言った。

「俺もそう聞いた」

「ゆっくりと休んだらいいわ」

その言葉の含意は一秒ほど間をおいて伝わった。声が優しすぎ、穏やかすぎる。

「おい、よしてくれ」とランツマンは言った。「頼むからそれは嘘《うそ》だと言ってくれ」

「人が二人死んだのよ。あなたの銃で。目撃者はいない。現場にいた若い男は何が起こったか見ていなかった。だから処分は自動的に決定よ。職務適法性審問委員会が結論を出すまで有給停職処分」

「向こうが銃を撃ってきたんだ。俺は信用できる情報をつかんで、銃はホルスターに入れたまま現場に近づいた。ハツカネズミみたいに穏やかに。なのに発砲してきた」

「もちろん、あなたには釈明の機会が与えられる。結論が出るまでバッジと銃は、あのウィリー・ジルバーブラットが入れてたハローキティのポーチにしまっておくから。そのあいだはおとなしくいい子にしているのよ。いい？」

「審問結果が出るのは何週間か先かもしれない」とランツマンは言った。「仕事に戻る頃には、シトカの警察本部はもうなくなってる可能性がある。停職処分なんて受けるいわれはない。それはきみもわかってるはずだ。事実関係を考えれば、審問中も俺に職務を遂行させても、完璧《かんぺき》に規則どおりの措置になるはずだ」

「規則はそうかもしれない。でもべつの規則もある」

「謎《なぞ》の発言はよしてくれ」ランツマンは英語であとを続けた。「いったいなんなんだ《ホワット・ザ・ファック》？」

長い二秒間、ビーナは返事をしなかった。

「ヴァインガルトナー本部長から電話があったのよ。ゆうべ。陽が暮れて間もない頃」

「なるほど」

「本部長のところにも電話があったらしい。自宅に。思うに電話をかけてきたのはある立派な人物で、金曜日の午後にマイヤー・ランツマンという刑事がやってきてある種の行動をとったことに苦情を言ったんじゃないかしらね。騒ぎを起こして、地元の住民に失礼なまねをした。権限も上からの許可もなく強引な捜査をしたとね」

「ヴァインガルトナーの返事は」

「ランツマンは優秀な刑事ですが、ある種の問題を抱えているのも事実ですと」

〝マイヤー・ランツマンは優秀な刑事だったが、ある種の問題も抱えていた〟。俺の墓碑銘にぴったりだ、とランツマンは思った。

「で、きみは本部長になんと言ったんだ。きみの土曜日の夜を台なしにする電話をかけてきたとき」

「私の土曜日の夜。私の土曜日の夜は電子レンジで温めて食べるブリトーみたいなものよ。そもそもが屑《くず》みたいなものを台なしにするのは難しいわ。本部長にはあなたが銃で撃たれたことを話したの」

「反応は」

「ランツマン警部の奇跡的な命拾いのことを思うと、今までの自分の不信心を考え直す必要があるかもしれない。ランツマンが快適に養生できるようはからって、たっぷり休ませてやりたまえとね。だから私はそのとおりにしてるわけ。あなたは追って知らせがあるまで、有給で仕事を休むのよ」

「ビーナ、ビーナ、頼むよ。俺のことは知ってるだろう」

「知ってるわ」

「俺が仕事できないとなると——きみも——」

「しかたないでしょ」ビーナの声が一気に温度をさげ、電話回線がピシピシ凍りつく音を立てた。「こういう状況で私にどれだけ選択の余地があるかはわかるはずよ」

「犯罪組織が殺人事件の捜査を妨害するため糸を引いている。そういう状況のことを言っているのか」

「本部長は私の上司なの」ビーナはロバを相手にするようなわかりきった説明をした。彼女はランツマンが馬鹿扱いされるのを何より嫌うことをよく知っている。「そして私はあなたの上司なの」

「俺の携帯に電話しないでもらいたかったな」しばらくしてランツマンは言った。「俺を死なせてくれればよかったんだ」

「芝居がかったこと言わないで」とビーナは言った。「それよりお礼を言ったらどう」

「俺は何をすればいいんだ。金玉を切りとってもらった礼を言うほかに」

「それはあなたの自由よ、ランツマン警部。たまには未来のことを考えてみるのもいいんじゃない」

「未来。つまり空飛ぶ自動車とか、月面のホテルのことか」

「あなたの未来のことよ」

「俺と一緒に月へ行くか、ビーナ。まだユダヤ人の移民は受け入れてるそうだ」

「それじゃまた、マイヤー」

電話は切られた。ランツマンも通話終了ボタンを押した。一分ほど立ち尽くしているのを、ベッドに坐ったベルコがじっと見ていた。ランツマンは、パイプの詰まりがとれたように、怒りと火照《ほて》りが全身を駆け抜けるのを覚えた。それから、空っぽになった。

ベッドに腰をおろした。上掛けの中に身体《からだ》を入れ、顔をふたたび壁のバリ島の風景のほうへ向けて、眼を閉じる。

「あー、マイヤー?」とベルコが言ったが、ランツマンは返事をしなかった。「まだずっと俺のベッドにいるつもりか」

返事をすることに意味があるとは思えなかった。一分ほどして、ベルコはマットレスを弾ませて立ちあがった。ランツマンには、ベルコが今の状況について考えているのが感じとれた。ベルコは自分たちを隔てている黒い川の深さを推し量り、適切な対応をしようとしていた。

「ま、何がどうあれ」とベルコはようやく口を開く。「ビーナも救急治療室へ見舞いにきたんだ」

ランツマンにはその訪問を受けた記憶がなかった。もとは覚えていたとしても、赤ん坊の足を手のひらで包んだ感触と同じように、消えてしまっていた。

「おまえは麻酔をかけられて、馬鹿げたことをいろいろしゃべったよ」

「ビーナの前で気まずいことを言ったかな」ランツマンはやっとのことで小声で訊《たず》ねた。

「うん」とベルコは答えた。「気の毒だがな」

それからベルコは寝室を出ていき、残されたランツマンは考えた。起きあがる力があるだろうか。俺はこの先どこまで堕ちるだろう。

この家の夫婦がひそひそとランツマンのことを話す声が聞こえた。異常者や愚か者や招かれざる客のために使われる話し方だった。その日の午後はずっと、一家が夕食をとっているあいだもそうだった。大はしゃぎする子供たちを風呂《ふろ》に入れ、お尻《しり》にパウダーをはたき、ベルコが鵞鳥《がちょう》の声をまねて絵本を読んで寝かしつけるときも、そのささやきが混じった。ランツマンは横向きに寝て、後頭部の傷が熱くひりつくのを感じながら、窓から入ってくる雨の匂《にお》いや、別の部屋でこの家の家族が話したり大声を出したりするこもった声を、うとうとしながら断片的に意識した。一時間に百キログラムずつ、ランツマンの魂にあいた小さな穴から砂が注ぎこまれた。初めはマットレスから頭を持ちあげられなかった。次にはなぜか眼が開かないようだった。眼を閉じているあいだは完全に眠っているわけではなかった。彼を悩ませる思念はおぞましいものだったが、それも夢とは言いきれなかった。

真夜中にベルコの長男のゴールディーが部屋に入ってきた。足どりは重々しく、まるで小さな怪物だった。ゴールディーはベッドの上にあがってきて、泡立て器でパンケーキの生地を掻《か》きまわすような具合にシーツを掻きまわしはじめた。パニックに陥って何かから逃げようとしているように見えるが、どうしたと訊《き》いても答えない。眼は閉じて、鼓動は規則的で穏やかだ。何から逃げているのか知らないが、ともかく親のベッドに保護を求めてきた。どうやら眠っているらしい。色が変わりはじめたリンゴのひと切れのような匂いがした。ランツマンの腰に爪先《つまさき》を注意深く容赦なく押しつけてくる。歯ぎしりが聞こえた。トタン板を専用のハサミで切るような音だ。

それが始まって一時間後、午前四時三十分頃、赤ん坊が泣きだした。バルコニーを改装した部屋にいるようだ。エステル＝マルケがあやす声が聞こえる。普段なら自分のベッドへ連れていくのだろうが、今夜はそれができない。小さなおじいさんを泣きやませるのにかなり時間がかかった。エステル＝マルケが赤ん坊を抱いて寝室に入ってきた。赤ん坊は静かになり、鼻を小さく鳴らしながらトロトロと眠りかけているようだ。エステル＝マルケはピンキーをランツマンとゴールディーのあいだに寝かせて出ていった。

父母のベッドで再会したシェメッツ家の兄弟は、アメリカ最大のシナゴーグ、エマヌエル寺院の巨大なパイプ・オルガンが恥じ入るほどの音で寝息や唸《うな》り声や寝言を聞かせた。二人はさまざまな技を繰り出した。カンフー〝睡拳《すいけん》〟でランツマンをベッドのぎりぎり端まで追い詰める。空手チョップに、爪先蹴《げ》り。うーんとうなり、ムニャムニャつぶやく。見ている夢の繊維を咀嚼《そしやく》しているような具合だ。夜が明け初める頃、赤ん坊のおむつの中でかんばしくないことが起きた。ランツマンがこれまでにベッドで過ごした夜のうち最悪のものとなったが、そのような評価はこれがかなりひどい体験であることを意味していた。

コーヒーメーカーは七時頃に唾《つば》吐きの音を立てはじめた。数千個のコーヒーの気体分子が部屋に入ってきて、ランツマンの鼻腔《びこう》の毛をくすぐった。廊下のカーペットを踏むスリッパの音。そこにいるのはわかってるよと、声をかけたくなる衝動に必死で抵抗した。エステル＝マルケが寝室の戸口に立ち、ランツマンに情けをかけたことを後悔しているはずだ。だが、気にしない。何を気にすることがある。しかしそのように気にすまいと懸命になること自体に、逆説的にも敗北の種があることに、ランツマンはようやく気づいた。だったら、いいだろう。気にすることにしよう。ランツマンは片眼を開いた。エステル＝マルケはドアの脇《わき》柱に寄りかかって、両腕で自分を抱き、かつて自分たち夫婦のベッドだった場所の破滅的な情景を打ち眺めていた。可愛《かわい》い息子たちを見て母親が覚える感情がどういうものであれ、それはエステル＝マルケの顔の上で、ランツマンのパンツ一枚の姿に対する不快感や狼狽《ろうばい》を相手に闘争を繰り広げていた。

「私のベッドから出てほしいんだけど」エステル＝マルケがささやいた。「今すぐ。一時的にじゃなく」

「わかった」ランツマンは傷の具合、痛みの程度、気分の趨勢《すうせい》を推し量りながら、半身を起こす。夜通し責苦に遭ったにしては妙に落ち着いていた。身体感覚がしっかり現実感を支えてくれている。この前誰かと同じベッドに寝たのは二年以上前のことだが、もっとそういう機会を持つべきなのかもしれないと思った。ドアのフックから服をとり、身につける。靴下とベルトは手に持って、エステル＝マルケのあとから廊下に出た。

「ソファーにもいいところがあるわよ」とエステル＝マルケは言った。「たとえば、赤ちゃんや四歳児は来ないとか」

「坊ちゃんたちの足の爪《つめ》問題はちょっと深刻なようだ」とランツマンは言った。「それと、ラッコか何かが、おちびさんのおむつの中で死んでるみたいな匂いがしたよ」

台所でエステル＝マルケが二つのカップにコーヒーを注いだ。それから玄関へ行き、〝失《う》せろ〟とのたまうドアマットの上から配達された《トーグ紙》を拾ってきた。ランツマンはカウンターのスツールに坐《すわ》り、薄暗い居間に眼をこらした。床から相棒の巨体が島のように盛りあがっている。ソファーの上の毛布は乱れていた。

エステル＝マルケが戻ってきたとき、ランツマンは〝きみたちのような友達は俺にはもったいない〟と言おうとしたが、エステル＝マルケは新聞を読みながら、「あなたがあれだけ眠ったのもむりはないわね」と言い、戸口に軽くぶつかった。何かよほど良いことか酷《ひど》いことが一面に出ているらしい。

ランツマンは上着のポケットから読書眼鏡を出した。ブリッジが折れて左右のレンズが生き別れになっていた。実質は一対の柄つき片眼鏡だ。エステル＝マルケが電話機の下の抽斗《ひきだし》から〝危険注意〟の警告を思わせる黄色の絶縁テープを出し、それで眼鏡を修繕してランツマンに返した。テープがハシバミの実ほどの団子になっていて、眼鏡をかけると、そこについ視線を引き寄せられて寄り眼になってしまう。

「かなり男前に見えるだろうな」ランツマンは新聞を手にとった。

今朝の《トーグ紙》の一面には大きな記事が二つ出ていた。一つはショッピングセンター〈ビッグ・マッハー〉の駐車場でおそらく銃撃戦があり、二つの死体が残されていた事件だった。主要な登場人物は、単独行動をしていたシトカ警察殺人課刑事マイヤー・ランツマン、四十四歳と、現在のところ無関係と思われる二件の殺人事件の長らく指名手配されていた容疑者二人だ。もう一つの記事には、次のような見出しが掲げられていた。

〝少年ツァデク〟シトカ市内のホテルで遺体発見

記事の本文には、メナヘム＝メンデル・シュピルマンの数々の奇跡や出奔などの履歴のほか、木曜日の夜のマックス・ノルダウ通りにある〈ザメンホフ・ホテル〉での死について嘘《うそ》の多い記述が連ねてあった。担当の検視官はすでにカナダへ移住したので、かわりに検視官事務所が発表した暫定《ざんてい》的な検視結果によれば、死因は〝薬物関連の事故〟だが、〝詳細はまだ不明〟と記者は書いていた。

ハシディズム派ユダヤ教徒の閉鎖的な世界で、少年時代のメンデル・シュピルマンは神童、奇跡の子、聖なる教師、ことによると待望久しい救世主である可能性もあるとみなされていた。幼少時からハーカヴィー地区のS・アンスキー通りにある古いシュピルマン邸には心酔者や請願者が多数訪れた。はるばるブエノスアイレスやベイルートからも、人々は好奇心や信仰心に駆られて、アヴの月の九日（紀元前五八六年と紀元七〇年のこの日、エルサレムの神殿が破壊され、大離散＝ディアスポラが始まった）という運命的な日に生まれた少年をひと眼見ようと旅をしてきた。少年が〝王国建設の宣言〟をするらしいとの噂《うわさ》が流れるたびに、多くの人がその場に居合わせたいと望み、その手配を人に頼んだりもした。しかしシュピルマン氏はそのような宣言はしなかった。二十三年前、シュトラケンツ派のレベの令嬢との婚礼が予定されていた日に、失踪《しっそう》のような形で姿を消した。近年の氏は長く転落の生活を送り、輝かしい少年時代はほぼ忘れ去られていた。

記事に書かれている死因の説明らしきものは、検視官事務所からの屑《くず》のような発表だけだった。〈ザメンホフ・ホテル〉の経営者とシトカ特別区警察中央方面署はコメントを拒否した。ランツマンは記事の最後で、シナゴーグでの葬送式はなく、父親の司式により古いモンテフィオーレ墓地での埋葬式だけが行なわれることを知った。

「ベルコが言ってたけど、レベはメンデルを勘当していたそうね」とエステル＝マルケが肩ごしに新聞を見て言った。「もう息子とはいっさい関わり合いにならないと言ってたって。ということは、考えをあらためたのね」

記事を読んでランツマンは、メンデル・シュピルマンに羨望《せんぼう》の念を覚えた。死後は父親の怒りも和らいだようだからだ。ランツマン自身も子供の頃は、父親から期待の重圧をかけられて苦しんだが、その期待に応《こた》えたり、それを上回る成果をあげたりできたらどんな気分になるのかは見当もつかなかった。メンデルのような天才児を息子に持てたら、イジドール・ランツマンはさぞかし喜んだことだろう。もし自分がメンデルのようにチェスを指すことができていたら、父親は生きがいを感じることができたはずで、自分は父親を救う小さな救世主になったわけだ。ランツマンは、父親からの期待という人生の重荷から自由になろうとして、父親に宛《あ》てて書いた手紙のことを思い出した。そして父親に命取りになる悲しみを与えたのは自分だという思いとともに生きてきた歳月のことを思った。メンデルはどのくらい罪悪感を覚えていただろう。神童だ救世主だという世間の評価を自分で信じていただろうか。重圧から逃れるためには父親だけでなく、ユダヤ人全体に背を向けなければならないと感じたのではないか。

「シュピルマン師が自分から考えをあらためることはないよ」とランツマンは言った。

「たぶん誰かがあらためさせたんだろう」

「それは誰？」

「当ててみるとしたら？　たぶんメンデルの母親じゃないかと思う」

「偉い。母親を信じなさい。息子を空き瓶みたいにぽいと棄《す》てることは絶対ないから」

「母親を信じなさいか」ランツマンは新聞に出ている写真を見た。十五歳のメンデル・シュピルマンは、鬚《ひげ》をしょぼしょぼ生やし、鬢《びん》の長い髪を風になびかせながら、むっつりと信仰の情熱をたぎらせている若いタルムード学徒たちの集会を冷静にとりしきっていた。「〝栄光の日のツアデク・ハ－ドール〟」とランツマンはキャプションを読んだ。

「何を考えてるの、マイヤー」エステル＝マルケが不審げな声音を響かせる。

「未来のことさ」とランツマンは答えた。

23

ハシディズム派ユダヤ人の一団が、悲しみを輸送する貨物列車のように重々しく墓地の門の中へ入っていった。墓地はイディッシュ語の婉曲語法《えんきょく》で〝命の家〟と呼ばれるが、葬列は丘の斜面の〝命の家〟の土に掘られた穴へと向かっていった。雨に濡《ぬ》れて光沢をおびた松材の棺《ひつぎ》が泣きながら担《かつ》いでいる男たちの波の上で揺れた。サトマール派の参列者がヴェルボフ派の人たちに傘をさしかけている。ゲール派やシュトラケンツ派やヴィジュニッツ派ははしゃぎ戯《たわむ》れる女学生のように腕を組み合っている。競争関係、怨念《おんねん》、宗論、互いに出し合っている追放宣言などは今日一日棚上げにして、先週金曜日の夜までは忘れられていたユダヤ人を追悼しようとしていた。いや、故人はユダヤ人ですらなかったと言うべきかもしれない。二十年にわたる薬物中毒のせいでユダヤ色が薄まり、ほとんど透明になっていた男だった。これまでのどの世代も、救済される資格を欠いていたために救世主を失ってきたが、今やシトカ特別地区の敬虔《けいけん》なユダヤ教徒が、自分たちが至らなかったことをはっきりと示され、雨の降るなか集まって、救世主を地中に横たえようとしているのだった。

墓穴のある敷地の周辺は、ハシディズム派ユダヤ教徒のように黒い樅《もみ》の木立に取り巻かれていた。墓地の塀の外には救済される資格のない人々の中でもとくにその資格がない数千人の黒い帽子や傘がひしめいていた。誰が〝命の家〟に入れて、誰が外で靴下まで雨に濡れるのかを決めるのは、義理と信用度の深層構造だった。この深層構造は窃盗罪や密輪罪や詐欺《さぎ》罪の事件を捜査する刑事たちの注目を惹《ひ》きつづけてきた。ランツマンはそうした刑事たちの中からスコルスキー、ブルヴィッツ、フェルト、グローブスを選抜し、例によってシャツの裾《すそ》をズボンから出した格好で、灰色のフォード・ヴィクトリアの屋根の上に坐っていた。シトカのヴェルボフ派全体が丘の斜面に集まり、まるで法廷で検事が示す人物相関図よろしく上下関係に従ってそれぞれの位置に立つなど、毎日あるようなことではない。五百メートル離れた〈ウォルマート〉の屋上には、三人の青いウィンドブレーカーを着たアメリカ人があがって、望遠レンズと震える雌しべのような集音マイクを向けていた。徒歩の巡査と自動二輪警邏《けいら》隊が青い太い綱となって群衆のあいだを縫い、集団がほどけないようにしている。報道陣も来ていた。チャンネル1のカメラマンと記者、地元新聞社の記者、ジュノーに本拠を置くNBC系列局のカメラクルー、それにケーブル局も一社。デニス・ブレナンもいたが、当人に分別がないのか、世界にフェルトが不足しているのか、雨の中でもあの大頭をむきだしにしていた。それから信仰と実践が中途半端《はんぱ》なユダヤ教徒、現代正統派ユダヤ教徒、単に迷信深い人たち、疑い深い人たち、物見高い人たちがいて、〈アインシュタイン・チェス・クラブ〉の会員もかなりの人数が来ていた。

ランツマンは捜査権限のない停職中の身ながら、取り戻したシヴォレー・シェヴェルとともに、ミズモール通りをはさんで〝命の家〟を見おろす荒涼たる丘の頂上に陣取ってすべてを一望していた。車を駐《と》めている袋小路は、ある不動産開発業者が整地をして舗装し、ティクヴァ通りと名づけた。〝ティクヴァ〟はヘブライ語で〝希望〟だが、時の終わりとも感じられるこの陰鬱《いんうつ》な午後、その含意するところはユダヤ人には十七種類の風味をもつ皮肉でしかない。希望を託されたこの新興住宅地に家はとうとう一軒も建たなかった。袋小路の周囲に広がる、木杭《きぐい》とオレンジ色の旗とナイロンテープで区画を示して下準備をしたミニチュア版のシオンの丘は、無残な挫折《ざせつ》の象徴となった。ランツマンは単独行動をとっており、バスタブの中の鯉《こい》のように素面《しらふ》で、汗ばんだ手で双眼鏡を持っていた。一杯やりたいという欲求が、歯の抜けた跡に舌があたる感覚のようにつきまとう。それを意識から追い出せないが、舌で隙間《すきま》を探るのが快感であるのも事実だ。あるいはこの欠乏感は、ビーナがバッジをとりあげたあとに残った穴に由来するだけかもしれないが。

ランツマンは高性能のツァイスを眼にあてて埋葬式の終わるのを待ちながら、カーラジオをつけ、CBCラジオが放送しているブルース歌手ロバート・ジョンソンについてのドキュメンタリー番組を聞いていた。ジョンソンの歌声は雨の中でユダヤ人が唱える服喪の祈り《カディッシュ》のように甲高く干割《ひわ》れて聞こえた。ランツマンはブロードウェイを一カートン用意している。それを猛烈な勢いで吸い、シヴォレーの車内からウィリー・ジルバーブラットの匂《にお》いを追い出そうとした。それは二日前のヌードルが残っている鍋《なべ》の悪臭だった。ベルコはウィリーがほんの短いあいだ乗っていたからといって匂いなど残っていないと言い張ったが、ランツマンは煙草《たばこ》を思うさま吸う口実として悪臭を歓迎した。煙草は酒への渇望《かつぼう》を消しはしないが、鈍らせてはくれる。

ベルコはまたメンデル・シュピルマンの〝薬物関連の事故〟による死の件は、一日か二日待ったほうがいいとランツマンの説得を試みた。アパートメントのエレベーターで下に降りているときには、俺の眼を見て答えてくれと前置きして、この雨の降る月曜日にバッジも拳銃《けんじゅう》もない身で出かけるのは、一人息子の死を嘆き悲しむユダヤ・マフィアの女王が墓地を出るところを捕まえて、不躾《ぶしつけ》な質問をするためではないことを確かめようとした。

「そもそも近づけやしないぜ」ベルコはエレベーターを降りたランツマンをなおも追って、一緒にロビーを横切り、ドニエプル・ビルの玄関に向かった。ベルコは象が着るような特大サイズのパジャマを着ていた。腕にはスーツの上下を抱えている。靴を二本の指で引っかけ、ベルトは首にかけていた。白いピンストライプが入ったからし色のパジヤマの胸ポケットからは、トースト二枚の角が突き出ていた。「かりに近づけたとしても、話を聞くのはむりだ」

ベルコは善良な警官らしく、〝金玉があればできること〟と〝やれば金玉を潰《つぶ》されること〟を区別していた。

「連中は鬼の反則技スティッフアーム・タックルであんたを妨害する」とベルコは言った。「有り金残らず巻きあげたうえで、あんたを告訴する」

ランツマンには反論できなかった。メンデルの母親バトシェヴァ・シュピルマンは、めったに自分自身の深く狭い世界の外に足を踏み出さない。そして踏み出すときは、おそらく警護班と弁護士軍団の鉄壁で身を守っている。「バッジも、掩護《えんご》者も、令状も、捜査権限もない。スーツに卵の汚れをつけたまぬけな恰好《かっこう》をしている。それでレディに近づいたら、撃たれるかもしれないぞ。あとに残るのは撃った連中の軽い耳鳴りだけだ」

ベルコはランツマンのあとから建物の外に出た。踊るように靴下と靴をはきながら歩き、角のバス停留所までついて来る。

「それはやめろと言ってるのか、それとも、おまえ抜きで行くのはやめろということか」とランツマンは訊《き》いた。「おまえとエステル＝マルケが〝復帰〟後のためにあれこれ手を尽くしたのを、この俺がむだにさせると思うか。とんでもない。俺は今までおまえたちにずいぶん迷惑をかけてきたが、そこまで馬鹿《ばか》じゃないつもりだ。それと、もし俺に行くなと言ってるのなら……」

ランツマンは足をとめた。この二度目の議論では自分がかなり筋の通ったことを言っているのに驚いた。

「自分が何を言いたいのかよくわからないよ、マイヤー。ただ、糞《くそ》ったれと言いたい気分だ」ベルコの顔には、とくに少年時代によく見せた表情が浮かんでいた。白眼の部分に真摯《しんし》な光が宿る。ランツマンは思わず眼をそらした。海峡から吹く風に顔を向けた。

「とにかくバスで行くのはよすんだ。いいな」とベルコは続けた。「署の車庫まで送っていくから」

遠くでうなりとエアブレーキのきしる音がした。道の向こうから路線61Bのハーカヴィー行きバスが、白光りする雨のカーテンをはねのけながら現われる。

「とにかくこれだけは持っていけ」とベルコが言った。スーツの上着の襟首をつかみ、着ろというようにランツマンの眼の前に掲げた。「ポケットの中のものをとれ」

今、丘の上でランツマンはその拳銃を手にしている——握りがプラスチックの可愛《かわい》い二二口径のベレッタだ。それからわが身をニコチンで毒しながら、デルタ地方の黒人のユダヤ人、ミスター・ジョンソンの嘆きを理解しようとする。どれだけ時間がたったのか、意識していないからわからないが、一時間ぐらいだろうか。墓地では貨物列車のような黒い行列がすでに埋葬を終え、門に向かって丘をくだりはじめていた。先頭で頭《かしら》を高くあげ、ゆっくりと白い息を吐いている蒸気機関車のような巨体の持ち主は第十代目レベで、つばの広い帽子から雨が流れ落ちていた。背後に続くのはひと連なりの娘たちで、人数は十人くらい、夫や子供たちも一緒にいる。ランツマンはシートから背を起こしてツァイスのピントを微調整し、レベの夫人、バトシェヴァ・シュピルマンの像をくっきり結ばせた。前もってなんとなく想像していたのは、マクベス夫人とアメリカ大統領夫人を足して二で割ったような女性だった。たとえばピンク色の丸い縁なしの帽子をかぶり、眼から催眠術の渦巻きを出しているマリリン・モンロー・ケネディのようなイメージ。だが、よく見える場所に出てきてから、門付近の人ごみに埋もれるまでにランツマンが見たバトシェヴァは、骨ばった身体《からだ》つきの小柄な老女だ。顔は黒いベールで隠されていた。服は特徴がなく、黒という色を伝える媒体にすぎない。

シュピルマン一族が門に近づいていくと、制服警官の垣根が密度を増し、群衆を押しのける。ランツマンは拳銃を上着のポケットに入れ、ラジオを消し、車を降りた。雨は弱まり、切れ目のない細かな網になった。ランツマンは丘をゆっくりと駆けおり、ミズモール通りをめざした。この一時間ほどで群衆はいよいよ膨れあがり、墓地の門周辺にひしめいている。もぞもぞと動き、ふいに大きく揺れる集団的悲嘆のブラウン運動だ。制服警官は懸命に立ち働き、一族と大型の黒い四輪駆動車からなる葬列を通そうとしていた。

ランツマンは靴底で地面をこすり、つまずき、雑草を切り裂き、靴に泥をどんどんつけていった。斜面を降りるのに難渋するうち、怪我《けが》が邪魔をしはじめた。あばら骨が一本折れているのを医者が見過ごしたのではないかと思った。一度、足を滑らせ、靴の踵《かかと》で軟らかい土に三メートルほど溝を彫りつけたあと、尻餅《しりもち》をついてとまった。縁起をかつぐほうなので、悪い兆候だと思えてならなかったが、悲観的になっているとどんな兆候も悪いものに思えるのも事実だ。

正直言って、計画は何もなかった。ベルコが予想したような不作法で幼稚な方法すら考えていない。ランツマンは警察に勤務して十八年、そのうち刑事歴は十三年で、この七年間は殺人課で優秀な花形刑事として通してきた。民間の一ユダヤ人としても、拳銃片手に人にものを尋ねたことなど一度もない。こういう場合、普通はどうするのか。ただ、結局のところ何がどうなろうとかまわないという確信が、愛の形見のように胸に押しつけられていた。

ミズモール通りは駐車場と化しており、弔問客も見物人もディーゼルエンジンの排気ガスの靄《もや》の中にいた。ランツマンはバンパーやフェンダーのあいだを縫い、中央分離帯に追いあげられた群衆の中に身体をこじ入れる。少年や若者が見晴らしを求めて木にのぼっているが、カラマツの木はしっかりと根づいていないようだ。周囲の人間が場所を空ける。空けようとしない者には肩の骨をぐりぐり押しつけて暗に促す。

その人々は悲嘆の匂い、長い下着と濡れたオーバーについた煙草の煙と泥の匂いをさせていた。失神しそうになりながら祈りをあげる人たち。まるで失神が一つの儀式であるかのように。すがりつき合い、喉《のど》も裂けよと泣く女たち。みんなメンデル・シュピルマンの死を悼《いた》んでいるのではない。そうであるはずがない。何かべつのもの、影の影、希望の希望が、この世界から消え去ってしまったと感じているのだ。故郷として愛するようになったこの島が、とりあげられようとしている。自分たちはビニール袋に入れられた金魚で、もうすぐ〝大離散《ディアスポラ》〟の広大な黒い湖へ戻される。だが、そのことを考えるのはあまりにも辛《つら》い。だから今は救世主という幸運の突破口が失われたことを嘆くのだ。それは初めからチャンスなどではなかったチャンスであり、やってくるはずのなかった王だった。頭に被甲弾を撃ちこまれなかったとしても。ランツマンは「失礼」とつぶやきながら、そうした人々を肩で押しのけた。「ちょっと失礼」

巨獣のような特別仕様のリムジンのほうへ向かっていく。全長六メートルほどの四輪駆動車だ。丘の斜面を降りてきて、通りを横切り、傘や顎鬚《あごひげ》や泣き濡れる顔のあいだをくぐり抜けていると、何か手持ちのビデオカメラで撮影しながら歩いているように視界がぎくしゃく揺れる気がした。ちょうど素人《しろうと》がたまたま撮影した暗殺事件発生時の映像を見ているようだ。もっとも、ランツマンは誰かを撃ちにきたわけではない。レベの夫人に声をかけ、注意を惹き、視線をとらえたいだけ、そして一つ質問をしたいだけだ。だが、どんな質問なのか、それがわからない。

ほかの者が先を越した。一人ではなく、十数人の男たちが。記者たちがランツマンと同じように、肩の骨と肘《ひじ》で黒帽子の群れを掻《か》き分けていた。黒いベールで顔を隠した小柄な女性が、義理の息子の腕を借りて門を出てくると、報道陣が質問を浴びせた。ポケットから石をつかみ出して投げるようにいっせいに。あまりにもひどい質問責めだった。女性はそちらに注意を向けず、首をめぐらせない。ベールは揺れたり左右に分かれたりしなかった。バロンシュテインが死者の母親をリムジンまで導いていく。運転手が車から降りてきた。騎手《ジョッキー》のような体格のフィリピン人で、顎に微笑《ほほえ》んだ口のような傷跡があった。雇い主が乗りこむドアを開く。ランツマンはまだ五、六十メートル離れたところにいた。質問どころか何をしようにも間に合わない。

喉をごろごろ鳴らすような低いうなり声が聞こえた。なかば獣のようなその声は、何か警告か、どす黒い悪意に満ちた非難の言葉を発しているようだった。車列のそばにいた黒帽子の一人が、記者の質問に気を悪くしたらしい。あるいは質問のしかたから何からすべてが気に入らないのだろう。ランツマンは怒っている男を見つめた。がっちりした体格、ブロンドの髪、ネクタイは締めず、シャツの裾はズボンの外に出している。ヴェルボフ島でベルコがからかったドヴィド・ススマンだった。顎の蝶番《ちょうつがい》の部分が浮き出ている。左腕の下に何か出っ張りがあるが、よく見るとデニス・ブレナンの首を片腕で抱えこんでいた。憐《あわ》れなブレナンは喉を絞められている。ススマンはブレナンの耳元で歯をむきだして説教をしながら、門を出てくるシュピルマン一族の通り道からブレナンを引き離した。

そのとき、一人の警官が介入しようとやってきた。何しろ警官はそのために来ている。若い警官は怖がっていた――怖がっているように見えた――だから、ドヴィド・ススマンの頭蓋骨《ずがいこつ》に対して、警棒を強くふるいすぎたかもしれなかった。胸の悪くなるような音がしたと思うと、ススマンは液状化して警官の足元の路面に流れ落ちた。

一瞬、群衆が、午後の時間と世界中のユダヤ人が、息を吞《の》み、そのまま吐くのを忘れた。次いで狂乱が炸裂《さくれつ》した。暴力的であると同時に言葉に満ちた暴動となった。無慈悲な罵倒《ばとう》が容赦なく飛び交った。相手が皮膚病にかかること、呪《のろ》われること、出血することを祈願する言葉だった。黒帽子の男たちはわめきながら波のようにうねり、杖や拳《こぶし》をふるい、叫び、悲鳴をあげ、顎鬚を十字軍の旗のようにはためかせ、汗を流し、かきまわされた泥と、血と、血に染まったズボンの匂いを放つ。二人の男が二つのポールにとりつけた横断幕を広げた。そこには亡《な》き王子メンデルへの別れの言葉が書かれていた。誰かがポールの一つをつかみ、べつの誰かがもう一つのポールをつかんだ。横断幕はもぎとられ、群衆の中に吞みこまれた。ポールは警官の顎や頭に打ちつけられる。幕にていねいに書かれた〝さようなら〟の文字が引き裂かれ、ちぎれた布が宙に投げ出されて、会葬者と警官、やくざ者と敬虔《けいけん》な信徒、生者と死者の頭上を舞った。

ランツマンはレベの姿を見失ったが、ルダシェフスキー一族の数人がバトシェヴァをリムジンの後部座席に乗せるのを見つけた。運転手がドアを開け、体操選手の身のこなしで運転席に飛びこむ。ルダシェフスキー一族が車の横腹を叩《たた》いて、「行け、行け！」と叫ぶ。ランツマンは、相変わらずポケットの中にぴかぴかの硬貨がないかと探すように質問を考えながら、じっと事の成り行きを眺めるうちに、いくつかの小さな事実に気づいた。まずフィリピン人の運転手は慌《あわ》てふためき、肩掛けのシートベルトを締めていない。また牛をも追い散らせる強力なクラクションを鳴らさないし、ドアのロックもしていない。ただギアを入れて車を前進させただけだ。そして、これだけ混雑している道路にしては、加速しすぎていた。

リムジンが近づいてくると、ランツマンはうしろにさがった。太い真黒な組み紐《ひも》から何本かの糸がほどけるように、一部の弔問客が群れを離れて、リムジンのうしろを走っている。いわば悲しみのスリップストリームだ。その車に追いすがる人々が、ルダシェフスキー一族の眼をさえぎり、愚行を厭《いと》わない人間が車に飛び乗るのを可能にした。ランツマンは首をうなずかせながら、群衆の狂気と自分の狂気を同期させる。両手の指をうごめかしながら、タイミングをはかり、車がそばへ来たとき、後部ドアを引き開けた。

エンジンの出力が、たちまち脚のパニック感覚に翻訳された。それはおのが愚かさの物理的証拠であり、不運に否応《いやおう》なく弾みをつけた。五メートルほど車のわきを引きずられながら、ランツマンはちらりと、妹が死んだときもこうだったろうかと考えた。重力と物体の落下の簡単な実験だ。手首の腱《けん》がひねられる。とそのとき、片膝《ひざ》を車内に突き入れて、全身で転げこんだ。

P・オースター
柴田元幸訳

幽霊たち

探偵ブルーが、ホワイトから依頼された、ブラックという男の、奇妙な見張り。探偵小説？哲学小説？　'80年代アメリカ文学の代表作。

P・オースター
柴田元幸訳

孤独の発明

父が遺した夥しい写真に導かれ、私は曖昧な記憶を探り始めた。見えない父の実像を求めて……。父子関係をめぐる著者の原点的作品。

P・オースター
柴田元幸訳

ムーン・パレス

日本翻訳大賞受賞

世界との絆を失った僕は、人生から転落しはじめた……。奇想天外な物語が躍動し、月のイメージが深い余韻を残す絶品の青春小説。

P・オースター
柴田元幸訳

偶然の音楽

〈望みのないものにしか興味の持てない〉ナッシュと、博打の天才が辿る数奇な運命。現代米文学の旗手が送る理不尽な衝撃と虚脱感。

P・オースター
柴田元幸訳

リヴァイアサン

全米各地の自由の女神を爆破したテロリストは、何に絶望し何を破壊したかったのか。そして彼が追い続けた怪物リヴァイアサンとは。

P・オースター
柴田元幸訳

トゥルー・ストーリーズ

ちょっとした偶然、忘れがちな瞬間を掬いとり、やがて驚きが感動へと変わる名作「赤いノートブック」ほか収録の傑作エッセイ集。

F・ティリエ
平岡 敦訳
死者の部屋
フランス国鉄ミステリー大賞受賞

はね殺した男から横取りした200万ユーロが悪夢の連鎖を生む——。仏ミステリー界注目の気鋭が世に問う、異常心理サスペンス！

K・グリムウッド
杉山高之訳
リプレイ
世界幻想文学大賞受賞

ジェフは43歳で死んだ。気がつくと彼は18歳——人生をもう一度やり直せたら、という窮極の夢を実現した男の、意外な、意外な人生。

R・ラドラム
山本光伸訳
シグマ最終指令（上・下）

大量虐殺の生還者か、元ナチス将校か……父の幻影を探るべく、秘密結社〝シグマ〟に挑む国際ビジネスマンと美貌のエージェント。

T・ハリス
菊池光訳
羊たちの沈黙

若い女性を殺して皮膚を剝ぐ連続殺人犯〈バッファロゥ・ビル〉。FBI訓練生スターリングは元精神病医の示唆をもとに犯人を追う。

T・ハリス
高見浩訳
ハンニバル（上・下）

怪物は「沈黙」を破る……。血みどろの逃亡劇から7年。FBI特別捜査官となったクラリスとレクター博士の運命が凄絶に交錯する！

T・ハリス
高見浩訳
ハンニバル・ライジング（上・下）

稀代の怪物はいかにして誕生したのか——。第二次大戦の東部戦線からフランスを舞台に展開する、若きハンニバルの壮絶な愛と復讐。

ユダヤ警《けい》官《かん》同《どう》盟《めい》（上）

新潮文庫　シ－39－1

Published 2009 in Japan
by Shinchosha Company

平成二十一年五月一日発行
平成二十一年十一月三十日四刷

訳者　黒《くろ》原《はら》敏《とし》行《ゆき》
発行者　佐藤隆信
発行所　株式会社 新潮社

郵便番号　一六二—八七一一
東京都新宿区矢来町七一
電話 編集部(〇三)三二六六—五四四〇
読者係(〇三)三二六六—五一一一
http://www.shinchosha.co.jp

価格はカバーに表示してあります。

乱丁・落丁本は、ご面倒ですが小社読者係宛ご送付ください。送料小社負担にてお取替えいたします。

印刷・株式会社光邦　製本・憲専堂製本株式会社

ISBN978-4-10-203611-2 C0197